DAS
BILDWÖRTERBUCH

Helen Davies / Stefanie Steiner
Illustrationen: John Shackell

arsEdition

Inhalt

Zu diesem Buch

Dieses Buch stellt über 2000 deutsche Wörter vor, die man im alltäglichenSprachgebrauch häufig verwendet. In den Schildern und Sprechblasen stehen die Wörter für sich allein. In den Kästen darunter werden dann viele von ihnen in einfache Sätze eingebaut. So lernt man, sie im Zusammenhang zu benutzen.

Das »Bildwörterbuch« enthält keinerlei Grammatik. Es soll einfach zum Sprechen und Verstehen der deutschen Sprache anregen. Es kann ohne weitere Vorkenntnisse von Menschen jedweder Muttersprache benutzt werden, da die Bilder ja eine universal verständliche »Sprache« sprechen.

Das Buch ist darüberhinaus geeignet auch für deutschsprachige Kinder im Kindergartenalter und in der Zeit des Lesenlernens.

Die männlichen (»der«), weiblichen (»die«) und sächlichen (»das«) Artikel werden fast immer genannt. Sie sind lediglich in einigen wenigen Fällen weggelassen, wo es sprachlich nicht sinnvoll oder üblich ist. Auch der Mehrzahl-Artikel (»die«) erscheint bei Wörtern, die überwiegend in der Mehrzahl verwendet werden.

Bei vielen Hauptwörtern, vor allem bei Berufsbezeichnungen, gibt es eine männliche und eine weibliche Form, z.B. »der Ballettänzer« und »die Ballettänzerin«. Häufig kann die weibliche Form durch Anhängen der Silbe »-in« gebildet werden.

Die deutsche Sprache liebt zusammengesetzte Hauptwörter. Wenn man sich nicht sicher ist, kann man sie auch durch Bindestriche verbinden, also z.B. »Ballett-Tänzer«. In diesem Fall sieht man, daß dreimal nebeneinander ein »t« erscheint. Beim Zusammenziehen zu einem Wort wird das dritte »t« verschluckt.

In einigen Fällen kann man eine Situation in direkter Rede am besten zum Ausdruck bringen. Solche Äußerungen sind in einer etwas anderen, »geschriebenen« Schrift gedruckt.

Eigenschaftswörter oder Adjektive richten sich nach dem dazugehörigen Hauptwort. Wir nennen hier die Grundform oder setzen es so ein, wie es gebraucht wird. Ähnlich wird mit den Tätigkeitswörtern oder Verben verfahren. In den Schildern wird die Grundform genannt, oder sie kommen in den Sätzen einfach so vor, wie es sich aus dem Zusammenhang ergibt.

Verlag und Herausgeber wünschen den Benutzern des »Bildwörterbuchs« viel Spaß und Erfolg beim beherzten Drauflosreden - und beim Lesenlernen.

Begegnungen

Guten Tag!

Auf Wiedersehen!

Bis bald!

einen Kuß geben

der Mann

die Frau

das Baby

die Hand geben

der Junge

das Mädchen

Der Mann mit der roten Mütze begrüßt einen Bekannten: »Guten Tag!«
Er gibt ihm die Hand.
Die beiden Jungen verabschieden sich:»Auf Wiedersehen!«

Der Junge im Auto winkt zurück.
Die Großmutter kommt zu Besuch und sagt: »Ich freue mich, euch wiederzusehen.«
Sie gibt dem Baby einen Kuß.
Der Mann, die Frau und die Kinder begrüßen die Großmutter.

vorstellen

treffen

Wie geht es Ihnen?

Sehr gut, danke.

die Freundin

der Freund

Er stellt dem Freund seine Freundin vor: »Darf ich dir meine Freundin vorstellen?«
Sie lernen sich kennen.

Zwei Bekannte treffen sich.
Der Mann fragt die Frau, wie es ihr geht.
Sie kennen sich schon lange.

Die Freunde liegen auf einer Wiese und unterhalten sich.
Ein Junge nimmt den Vorschlag seiner Freunde an und sagt: »Einverstanden.«
Das Mädchen widerspricht, es meint: »Nein.«
Ein Junge kugelt sich vor Lachen.

sich unterhalten

Ja

Nein

Einverstanden.

sagen

sich vor Lachen kugeln

der Name

der Vorname
Helga HOLT
der Familienname

Die Schüler sagen ihre Namen.
Die Lehrerin heißt Helga Holt.
Helga ist der Vorname und Holt der Familienname.
Ein Schüler findet das langweilig.
Er ist am Tisch eingeschlafen.

Ich heiße...

Er heißt...

Wie heißt du?

das Alter

Wie alt bist du?

jung

älter als

jünger als

alt

Ich bin neunzehn Jahre alt.

so alt wie

Viele Leute wollen wissen, wie alt jemand ist.
Sie fragen »Wie alt sind Sie?« oder »Wie alt bist du?«

Der Opa ist mit 80 Jahren ziemlich alt.
Die Zwillinge haben am gleichen Tag Geburtstag.
Der eine ist so alt wie der andere.

5

Familie

die Familie

der Vater

die Mutter

der Großvater

die Tante

der Onkel

die Großmutter

der Bruder | die Schwester | die Kusine | der Vetter

Heute findet ein Familientreffen statt.
Alle Familienmitglieder treffen sich bei
den Großeltern.
Oma und Opa haben alle eingeladen,
natürlich auch den Hund.
Schließlich sollen alle dabei sein.

Die Großeltern freuen sich immer, wenn
die Kinder und Enkel zu Besuch kommen.
Sie wollen doch wissen, ob es allen gut
geht.
Die Tante hat immer etwas Neues zu
erzählen.

verwandt sein mit

der Sohn

der Enkel

die Tochter

die Enkelin

der Neffe

aufziehen | gern haben | die Nichte

Sie sind alle miteinander verwandt.
Vater und Mutter ziehen ihren Sohn und
ihre Tochter auf.
Der Großvater hält seine beiden Enkel in
den Armen.

Er hat seinen Enkel und seine Enkelin sehr
gern.
Eine Tante und ein Onkel haben oft viele
Neffen und Nichten.
Ob die Tante ein Geschenk mitgebracht hat?

die Ehefrau

der Ehemann

die Eltern

lieben

die Kinder

die Zwillinge

der einzige Sohn

Die Eltern lieben ihre Kinder.
Sie sind Ehemann und Ehefrau.
Dieses Ehepaar hat drei Kinder: einen
Sohn und zwei Töchter.
Die eine Tochter ist noch ein Baby.
Die Zwillinge spielen gern miteinander.
Der einzige Sohn spielt mit der Katze.

das Leben

die Kindheit

die Ehe

die Geburt

geboren werden

heiraten

die Hochzeit

der Tod

arbeiten

das Alter

sterben

die Beerdigung

Das Leben wird in verschiedene Abschnitte
eingeteilt.
Mit der Geburt kommt ein Kind auf die
Welt.
In der Kindheit kann man viel spielen.
Viele Jugendliche pflegen Hobbies.

Erwachsene müssen arbeiten, um ihren
Lebensunterhalt zu verdienen.
Viele Leute heiraten.
Im Alter hat man eine Menge Zeit, um
spazieren zu gehen.
Das Leben hat ein Ende mit dem Tod.

Aussehen und Charakter

Im Schwimmbad ist einiges los.
Hier kann man allerhand verschiedene
Leute beobachten. Da tummeln sich
hübsche Mädchen, gutaussehende
Männer, dünne und dicke Leute.
Der Muskelprotz fühlt sich sehr stark.

hübsch

gutaussehend

stark

dünn

dick

schwach

schlank

blondes Haar haben

eine Glatze tragen

braunes Haar haben

rotes Haar haben

glattes Haar haben

Locken haben

der Pony

die Zöpfe

Jeder Mensch sieht anders aus, und mancher
achtet sehr auf sein Aussehen.
Ein jeder unterscheidet sich äußerlich durch
Gesicht, Haar, Hautfarbe, Körperbau und
Größe von anderen.
Aus langen Haaren kann man Zöpfe flechten.

Die Personen hier haben alle unterschied-
liche Haarfarben und Frisuren.
Sie haben blonde, rote oder braune Haare.
Die Haare sind entweder glatt oder lockig.
Wenn ein Mann gar keine Haare hat, trägt
er eine Glatze.

höflich

unhöflich

übermütig

fröhlich

freudig

unglücklich

schüchtern

gut gelaunt

komisch

Die Menschen verhalten sich auch unter-
schiedlich.
Der Junge hilft einer älteren Frau.
Er ist höflich.
Der Ober rempelt die Gäste an.
Er benimmt sich unhöflich.
Wenn man gut gelaunt ist, stellt man gern
komische Sachen an.
Manchmal wird man sogar übermütig.

der Typ

eine Brille tragen

braun

hellhäutig

die Stirn
runzeln

die Hautfarbe

lächeln

Sommersprossen

lachen

einen Bart tragen

weinen

Die Menschen haben auch unterschiedliche
Hautfarben.
Der Mann hier ist ein brauner Typ.
Die Frau neben ihm ist blond und hellhäutig.
Dieses Mädchen hat viele Sommersprossen.
Der braungelockte Mann trägt einen Bart.

Der Mann mit der Brille runzelt die Stirn
über das Mißgeschick mit dem Glas.
Die Frau neben ihm muß lächeln.
Der Mann mit der Krone auf dem Kopf
lacht darüber.
Die grauhaarige Frau fängt an zu weinen.

9

Der Körper

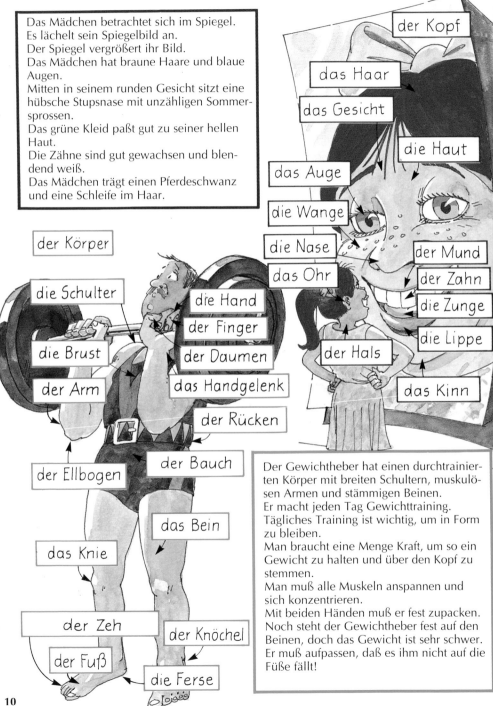

Das Mädchen betrachtet sich im Spiegel.
Es lächelt sein Spiegelbild an.
Der Spiegel vergrößert ihr Bild.
Das Mädchen hat braune Haare und blaue Augen.
Mitten in seinem runden Gesicht sitzt eine hübsche Stupsnase mit unzähligen Sommersprossen.
Das grüne Kleid paßt gut zu seiner hellen Haut.
Die Zähne sind gut gewachsen und blendend weiß.
Das Mädchen trägt einen Pferdeschwanz und eine Schleife im Haar.

der Kopf

das Haar

das Gesicht

die Haut

das Auge

die Wange

die Nase

das Ohr

der Mund

der Zahn

die Zunge

die Lippe

der Körper

die Schulter

die Hand

der Finger

der Daumen

der Hals

die Brust

der Arm

das Handgelenk

das Kinn

der Rücken

der Bauch

der Ellbogen

das Bein

das Knie

der Zeh

der Knöchel

der Fuß

die Ferse

Der Gewichtheber hat einen durchtrainierten Körper mit breiten Schultern, muskulösen Armen und stämmigen Beinen.
Er macht jeden Tag Gewichttraining.
Tägliches Training ist wichtig, um in Form zu bleiben.
Man braucht eine Menge Kraft, um so ein Gewicht zu halten und über den Kopf zu stemmen.
Man muß alle Muskeln anspannen und sich konzentrieren.
Mit beiden Händen muß er fest zupacken.
Noch steht der Gewichtheber fest auf den Beinen, doch das Gewicht ist sehr schwer.
Er muß aufpassen, daß es ihm nicht auf die Füße fällt!

Der Mann mit dem Hut ist sehr groß.
Dagegen ist der Clown auf seinem Schuh
recht klein.
Der andere Clown steigt auf die Waage,
um sich zu wiegen.

die linke
Seite

die rechte
Seite

groß sein

klein sein

sich wiegen

leicht sein

schwer sein

Der Junge betrachtet sich von beiden
Seiten im Spiegel.

knien

sich hinlegen

barfuß
gehen

liegen

sich
niederknien

sich setzen

aufstehen

stehen

Alle diese Leute tun etwas.
Der blonde Junge mit der Sonnenbrille geht
barfuß am Strand spazieren.
Das Mädchen steht gerade auf.
Der Mann daneben steht schon.
Das Mädchen mit dem Eimer und dem
Seestern in der Hand kniet sich nieder.
Die Frau im roten Bikini legt sich auf der
Luftmatratze hin.

sitzen

Wohnen

der Wohnblock

die Wohnung

Ich bin zu Hause.

der zweite Stock

die Wohnungstür

die Klingel

klingeln

der Briefkasten

die Fußmatte

der Balkon

der Hausmeister

einziehen

das Erdgeschoß

das Haus

in einem Haus wohnen

die Nachbarin

die Eigentümerin

ausziehen

der erste Stock

der Mieter

das Untergeschoß

Wir wohnen in einem Wohnblock im zweiten Stock zur Miete.
Hier bin ich zu Hause.
Heute ziehen neue Mieter ein.
Der Möbelwagen parkt vor dem Haus.
Der Möbelpacker klingelt an der Wohnungstür im ersten Stock.
Im Nachbarhaus wirft die Besitzerin einen Koffer voller Kleider auf die Straße.
Der Mieter muß ausziehen.
Der Hausmeister fegt den Bürgersteig.
Die Nachbarin führt ihren Hund spazieren.

Wo wohnst du?
Wie lautet deine genaue Adresse?
Wie heißen eure Nachbarn?
Sind sie nett?
Hast du ein eigenes Zimmer?
Wie viele Zimmer hat eure Wohnung?
Wieviel Quadratmeter Wohnfläche habt ihr?
Wieviel Miete müßt ihr bezahlen?
Wie hoch sind die Nebenkosten?

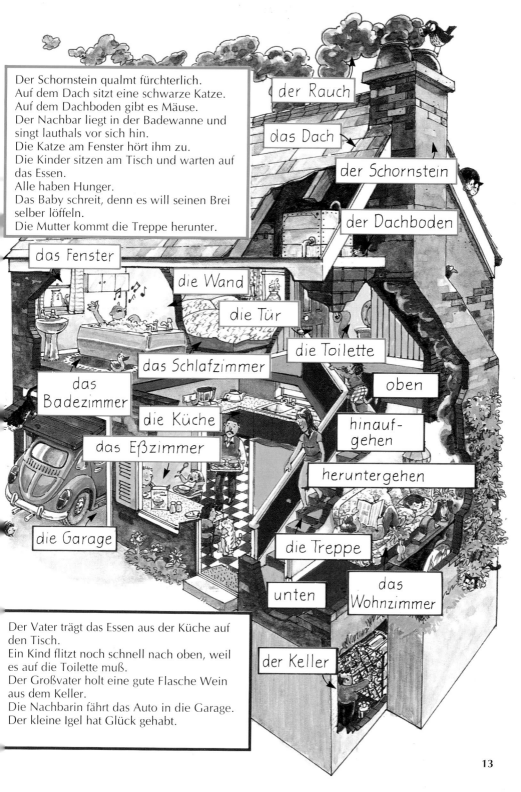

Der Schornstein qualmt fürchterlich.
Auf dem Dach sitzt eine schwarze Katze.
Auf dem Dachboden gibt es Mäuse.
Der Nachbar liegt in der Badewanne und
singt lauthals vor sich hin.
Die Katze am Fenster hört ihm zu.
Die Kinder sitzen am Tisch und warten auf
das Essen.
Alle haben Hunger.
Das Baby schreit, denn es will seinen Brei
selber löffeln.
Die Mutter kommt die Treppe herunter.

der Rauch

das Dach

der Schornstein

der Dachboden

das Fenster

die Wand

die Tür

die Toilette

das Schlafzimmer

oben

das
Badezimmer

die Küche

hinauf-
gehen

das Eßzimmer

heruntergehen

die Garage

die Treppe

unten

das
Wohnzimmer

Der Vater trägt das Essen aus der Küche auf
den Tisch.
Ein Kind flitzt noch schnell nach oben, weil
es auf die Toilette muß.
Der Großvater holt eine gute Flasche Wein
aus dem Keller.
Die Nachbarin fährt das Auto in die Garage.
Der kleine Igel hat Glück gehabt.

der Keller

13

Eß- und Wohnzimmer

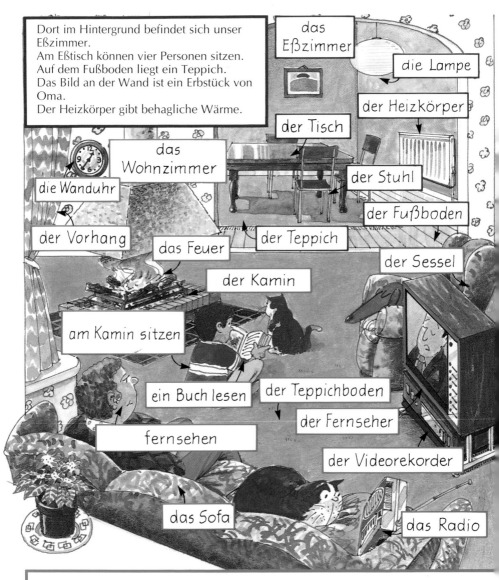

Dort im Hintergrund befindet sich unser Eßzimmer.
Am Eßtisch können vier Personen sitzen.
Auf dem Fußboden liegt ein Teppich.
Das Bild an der Wand ist ein Erbstück von Oma.
Der Heizkörper gibt behagliche Wärme.

das Eßzimmer

die Lampe

der Heizkörper

der Tisch

das Wohnzimmer

die Wanduhr

der Stuhl

der Fußboden

der Vorhang

das Feuer

der Teppich

der Sessel

der Kamin

am Kamin sitzen

ein Buch lesen

der Teppichboden

der Fernseher

fernsehen

der Videorekorder

das Sofa

das Radio

Hier im Vordergrund ist unser Wohnzimmer.
Darin machen wir es uns gern gemütlich.
Der Vater sitzt auf dem Sofa und sieht fern.
Er interessiert sich für die Nachrichten.
Aber er sieht sich abends auch gerne einen Krimi an.

Wenn er gerade einmal keine Zeit hat, zeichnet er die Fernsehsendungen mit seinem Videorekorder auf.
Der Sohn hockt auf dem Boden und liest.
Die kleine Katze sitzt am Kamin und beobachtet gespannt das Feuer.
Die dicke Katze auf dem Sofa hört der Musik aus dem Radio zu.

In der Küche

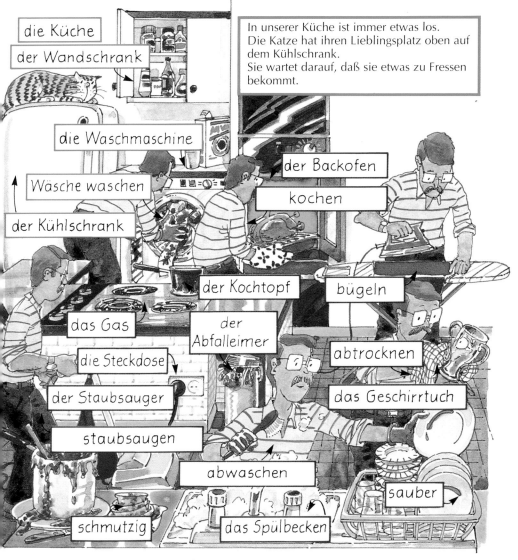

die Küche

der Wandschrank

In unserer Küche ist immer etwas los.
Die Katze hat ihren Lieblingsplatz oben auf
dem Kühlschrank.
Sie wartet darauf, daß sie etwas zu Fressen
bekommt.

die Waschmaschine

der Backofen

kochen

Wäsche waschen

der Kühlschrank

der Kochtopf

bügeln

das Gas

der Abfalleimer

die Steckdose

abtrocknen

der Staubsauger

das Geschirrtuch

staubsaugen

abwaschen

sauber

schmutzig

das Spülbecken

Heute macht der Vater die Hausarbeit.
Zuerst kocht er für alle.
Im Wandschrank lagern die Vorräte.
Er stellt den Kochtopf auf den Gasherd und
schiebt das Hähnchen in den Backofen.
Dann ist Waschen an der Reihe.
Er steckt die schmutzige Wäsche in die
Waschmaschine.

Anschließend bügelt er die Hemden.
Nach dem Essen wäscht er das schmutzige
Geschirr ab.
Abfälle kommen in den Abfalleimer.
Mit dem Geschirrtuch trocknet er das
saubere Geschirr und Besteck ab.
Zum Schluß staubsaugt er.
Die ganze Küche ist dann wieder sauber.

Im Garten

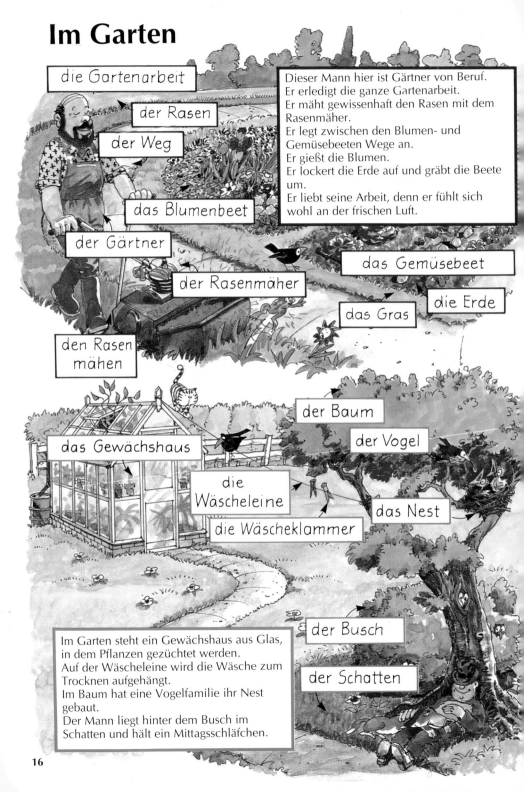

die Gartenarbeit

der Rasen

der Weg

das Blumenbeet

der Gärtner

der Rasenmäher

den Rasen mähen

das Gemüsebeet

das Gras

die Erde

Dieser Mann hier ist Gärtner von Beruf.
Er erledigt die ganze Gartenarbeit.
Er mäht gewissenhaft den Rasen mit dem Rasenmäher.
Er legt zwischen den Blumen- und Gemüsebeeten Wege an.
Er gießt die Blumen.
Er lockert die Erde auf und gräbt die Beete um.
Er liebt seine Arbeit, denn er fühlt sich wohl an der frischen Luft.

das Gewächshaus

der Baum

der Vogel

die Wäscheleine

die Wäscheklammer

das Nest

der Busch

der Schatten

Im Garten steht ein Gewächshaus aus Glas, in dem Pflanzen gezüchtet werden.
Auf der Wäscheleine wird die Wäsche zum Trocknen aufgehängt.
Im Baum hat eine Vogelfamilie ihr Nest gebaut.
Der Mann liegt hinter dem Busch im Schatten und hält ein Mittagsschläfchen.

die Biene

der Schmetterling

die Wespe

stechen

die Rose

die Dahlie

das Vergißmeinnicht

der Blumensamen

duften

schön

die Geranie

die Tulpe

die Osterglocke

das Unkraut

pflanzen | die Blumenzwiebel | Unkraut jäten

Im Garten stehen viele Blumen
in voller Blüte.
Was für eine Blumenpracht!
Du kannst einen herrlichen bunten
Blumenstrauß pflücken.
Vor allem die Rosen duften wunderbar.
Und die Tulpen haben dieses Jahr
besonders farbenprächtige Blüten.

Bienen und bunte Schmetterlinge fliegen
von Blüte zu Blüte.
Achtung! Die Wespen können stechen!
Die Frau pflanzt Blumen.
Sie steckt Blumenzwiebeln in den Boden
und sät Samen aus.
Der Junge versucht Unkraut zu jäten.
Das Unkraut hat jedoch lange Wurzeln,
die tief in der Erde stecken.

das Gartenhäuschen

der Spaten

die Forke

die Gießkanne

die Schubkarre

die Schaufel

der Rechen

Im Gartenhäuschen werden die Garten-
geräte aufbewahrt.
Ein solcher Schuppen ist sehr nützlich.
Der Mist in der Schubkarre eignet sich gut
als Dünger.
Die Frau hat eine Gießkanne mit frischem
Wasser und gießt damit die Stecklinge.

Haustiere

Der Hund sitzt vor der Hundehütte.
Er gibt dir die Pfote.
Er will, daß du sein Fell streichelst.
Der Welpe ist noch sehr verspielt.
Er hält einen bunten Reifen im Maul und
möchte immer nur spielen.
Der schwarze Hund verfolgt eine Katze.
Der Hund am Zaun bellt die anderen Hunde
an.
Sie fangen an zu knurren.
Sieh dich vor, dieser Hund hier beißt!
Er bewacht das Haus seines Herrchens.
Der Junge führt seine beiden Hunde aus. Sie
ziehen an der Leine.
Der Hund bringt seinem Herrchen ein Stück
Holz und wedelt mit dem Schwanz.

der Hund

die Hundehütte

der Welpe

das Fell

die Pfote

verspielt

bellen

VORSICHT BISSIGER HUND!

verfolgen

knurren

bringen

der Schwanz

mit dem Schwanz wedeln

den Hund ausführen

die Katze

der Korb

schnurren

das Kätzchen

miauen

sich strecken

die Kralle

weich

niedlich

Die Katze hat vier Junge bekommen.
Sie sitzt ganz stolz in ihrem Korb und
schnurrt.
Das kleinste Kätzchen miaut.
Das braune Kätzchen streckt sich und zeigt
seine Krallen.
Die Kätzchen haben ein ganz weiches Fell.
Sind sie nicht niedlich?

18

Im Garten steht ein großer Käfig mit vielen Tieren.
Ganz oben sitzen ein Wellensittich und ein Kanarienvogel auf der Stange.
Der Wellensittich breitet seine Flügel aus.
Nebenan läuft ein Hamster in seinem Rad.
Der andere Hamster ruht sich aus.
Darunter wohnt eine Igelfamilie und nebenan zwei Meerschweinchen.

Ganz unten sind zwei Kaninchen und vier Schildkröten untergebracht.
Der Junge füttert gerade die Kaninchen. Sie fressen besonders gern Karotten.
Das Mädchen gibt dem Goldfisch Futter.
Neben dem Goldfischglas sitzt eine Maus.
Sie hat auch Hunger.
Haustiere müssen regelmäßig ihr Futter und etwas zu trinken bekommen.

der Kanarienvogel

der Flügel

sitzen

der Hamster

der Schnabel

die Feder

der Igel

das Meerschweinchen

das Kaninchen

die Schildkröte

der Käfig

füttern

der Goldfisch

die Maus

das Goldfischglas

Aufstehen

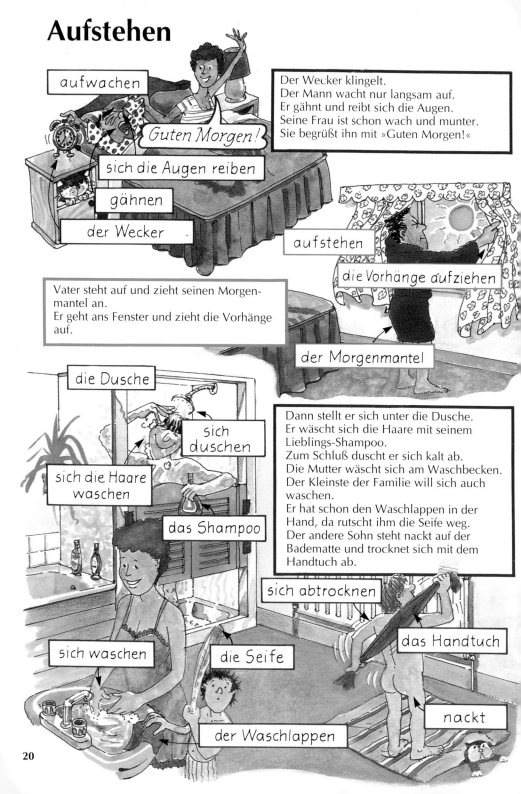

aufwachen

Guten Morgen!

sich die Augen reiben

gähnen

der Wecker

Der Wecker klingelt.
Der Mann wacht nur langsam auf.
Er gähnt und reibt sich die Augen.
Seine Frau ist schon wach und munter.
Sie begrüßt ihn mit »Guten Morgen!«

aufstehen

die Vorhänge aufziehen

Vater steht auf und zieht seinen Morgenmantel an.
Er geht ans Fenster und zieht die Vorhänge
auf.

der Morgenmantel

die Dusche

sich
duschen

sich die Haare
waschen

das Shampoo

Dann stellt er sich unter die Dusche.
Er wäscht sich die Haare mit seinem
Lieblings-Shampoo.
Zum Schluß duscht er sich kalt ab.
Die Mutter wäscht sich am Waschbecken.
Der Kleinste der Familie will sich auch
waschen.
Er hat schon den Waschlappen in der
Hand, da rutscht ihm die Seife weg.
Der andere Sohn steht nackt auf der
Badematte und trocknet sich mit dem
Handtuch ab.

sich abtrocknen

das Handtuch

sich waschen

die Seife

nackt

der Waschlappen

20

Vater schaut in den Spiegel
Er rasiert sich heute mit dem elektrischen Rasierapparat.
Manchmal rasiert er sich auch naß.
Dazu muß er sich vorher mit Rasierschaum einseifen, sonst schneidet er sich.

sich rasieren

der Spiegel

der elektrische Rasierapparat

der Rasierer

der Rasierschaum

heißes Wasser

kaltes Wasser

der Wasserhahn

die Zahnpasta

die Zahnbürste

sich die Zähne putzen

Die beiden Söhne putzen sich die Zähne.
Der eine drückt gerade Zahnpasta aus der Tube.
Der andere hat die Zahnbürste bereits im Mund und schrubbt seine Zähne.
Aus dem Wasserhahn fließt kaltes und warmes Wasser.

Vater hat sich die Haare gewaschen und fönt sie trocken.
Der eine Sohn kämmt sich, der andere bürstet seine Haare lieber.
Mit der Bürste kommt er besser durch sein dichtes Haar.

sich die Haare fönen

der Fön

die Bürste

der Kamm

sich schminken

die Wimperntusche

sich die Haare kämmen

sich die Haare bürsten

das Make-up

der Lippenstift

das Parfüm

Mutter schminkt sich.
Sie legt Make-up und Lippenstift auf.
Dann tuscht sie sich die Wimpern.
Zuletzt nimmt sie ein wenig Parfüm.
Wie das duftet!

21

Kleidung

die Strumpfhose

der Büstenhalter

Was für eine Unordnung!
Eine Katze sitzt in der Schublade mit dem Büstenhalter auf dem Kopf.
Eine andere hockt auf der Kommode mit der Strumpfhose zwischen den Zähnen.
Eine Katze liegt unter der Schublade mit den Slips und spielt mit dem Unterrock.
Eine andere Katze steckt in einer Hose.

die Socken

der Slip

das Unterhemd

die kurze Hose

der Unterrock

die Unterhose

sich anziehen

tragen

das Hemd

das T-Shirt
aus Baumwolle

die Bluse

die Krawatte

die Wolljacke

der Pullover
aus Wolle

der Rock

die Hose

das Kleid

die Jeans

die Latzhose

Was soll ich heute anziehen?
Ein Kleid oder einen Rock mit einer Bluse?
Der bunte Rock und die einfarbige Bluse passen gut zusammen.
Oder ist es etwas kühl heute?
Dann trage ich lieber Jeans und eine Wolljacke.

Was ziehst du heute an?
Eine Hose, einen Pullover, ein Hemd und eine Krawatte.
Und du?
Ich ziehe ein T-Shirt aus Baumwolle und eine Latzhose an.
Und ich setze natürlich meine grüne Sonnenbrille auf.

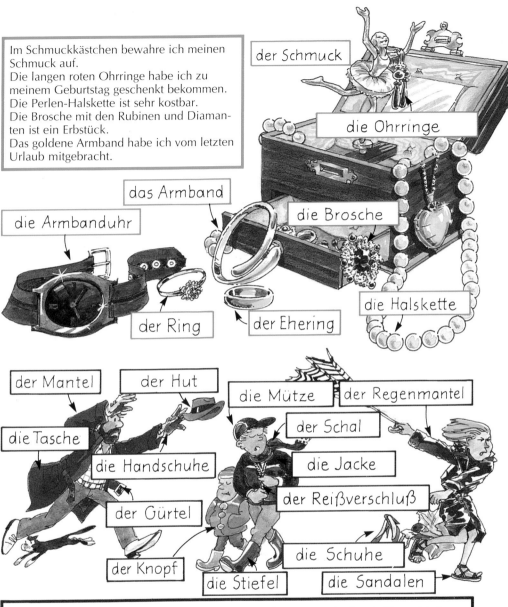

Im Schmuckkästchen bewahre ich meinen Schmuck auf.
Die langen roten Ohrringe habe ich zu meinem Geburtstag geschenkt bekommen.
Die Perlen-Halskette ist sehr kostbar.
Die Brosche mit den Rubinen und Diamanten ist ein Erbstück.
Das goldene Armband habe ich vom letzten Urlaub mitgebracht.

der Schmuck

die Ohrringe

das Armband

die Armbanduhr

die Brosche

der Ring

der Ehering

die Halskette

der Mantel

der Hut

die Mütze

der Regenmantel

der Schal

die Tasche

die Handschuhe

die Jacke

der Reißverschluß

der Gürtel

der Knopf

die Schuhe

die Stiefel

die Sandalen

Heute ist es kühl und windig.
Man muß sich warm anziehen.
Der Mann trägt einen Mantel und Handschuhe.
Der Wind weht seinen Hut davon.
Nun versucht er ihn einzufangen.
Die beiden Jungen tragen Stiefel, Jacken und Mützen.

Der große Junge zieht den Reißverschluß ganz zu, damit er nicht friert.
Der Schal wärmt seinen Hals.
Die Frau mit den Sandalen und dem roten Regenmantel kämpft gegen den Wind an.
Der Sturm hat ihren Schirm schon ganz verbogen und ihre Tragetasche zerrissen.
Die neuen Schuhe fallen heraus.

23

Zu Bett gehen

Es ist Schlafenszeit.
Vater macht das Licht an.
Die Kinder sind sehr müde.
Mutter räumt die Spielsachen auf.
Sie ziehen sich aus, um ins Bett zu gehen.
Der kleine Junge ist schon auf dem Boden
eingeschlafen.

die Schlafenszeit

das Licht
anmachen

müde sein

aufräumen

sich ausziehen

das Badewasser
einlassen

die Badewanne

ein Bad
nehmen

der Stöpsel

der Bademantel

naß spritzen

die Badematte

die Waage

Mutter hat das Badewasser einlaufen lassen.
Der Junge zieht den Stöpsel heraus.
Sie spritzt den frechen kleinen Kerl ein
bißchen naß.
Auf der Badematte sitzt ein Teddybär.
Das Mädchen hat sein Bad schon genom-
men.
Es ist in den Bademantel geschlüpft und
steht auf der Waage.

24

ins Bett gehen

der Schlafanzug

das Nachthemd

die Hausschuhe

Die Kinder gehen ins Bett.
Ein Mädchen zieht seinen Schlafanzug an.
Das andere trägt lieber ein Nachthemd,
weil es das bequemer findet.
Unter dem Bett stehen die Hausschuhe.

das Schlaflied

eine Geschichte vorlesen

das Kinderbett

Vor dem Einschlafen liest Mutter noch eine
Geschichte vor und singt ein Schlaflied.
Das Baby ist schon eingeschlafen, die Katze
und der Hund auch.

einschlafen

Gute Nacht!

Schlaft gut!

ausmachen

schlafen

das Nachttisch-lämpchen

träumen

schnarchen

das Kopfkissen

das Bettlaken

das Federbett

das Bett

die Tagesdecke

der Nachttisch

Die Eltern haben ihre Kinder zu Bett gebracht.
Sie wünschen ihnen: »Gute Nacht!
Schlaft gut und träumt etwas Schönes!«
Dann machen sie das Licht aus.
Die Kinder kuscheln sich in die Decken.
Das rothaarige Mädchen schläft schon und
träumt von den Süßigkeiten, die es heute
gegessen hat.
Das andere Kind hat die Decke bis zum
Hals hochgezogen und schnarcht vor
sich hin.
Die zwei Katzen machen es sich unter
dem Bett bequem.

Essen und Trinken

Vater deckt den Tisch.
Zuerst breitet er die Tischdecke aus.
Anschließend holt er das Geschirr.
Die Teller stellt er auf den Tisch und die
Suppentassen auf die Teller.
Danach legt er das Besteck auf den Tisch.
Messer und Löffel liegen rechts vom
Teller, und die Gabel links davon.
Nun bringt er die Tassen und Untertassen,
den Krug mit der Milch und die Gläser.
Zu guter Letzt legt er die Servietten auf
die Teller.
»Zu Tisch, bitte!«
Nach dem Essen decken alle gemeinsam
den Tisch ab.

den Tisch decken

Zu Tisch, bitte!

die Kaffeekanne

die Teekanne

die Serviette

der Löffel

das Messer

die Gabel

das Glas

die Tasse

die Untertasse

der Teller

der Krug

die Suppentasse

die Tischdecke

Bedient euch!

Guten Appetit!

Hunger haben

essen

Durst haben

trinken

Es schmeckt sehr gut.

gut gegessen haben

Mutter trägt das Essen herein.
Sie wünscht allen »Guten Appetit!«
Der Sohn hat Durst und trinkt vor dem
Essen ein Glas Milch.
Vater hat großen Hunger.
Das Essen schmeckt ihm heute sehr gut.
Die Tochter ist schon satt.

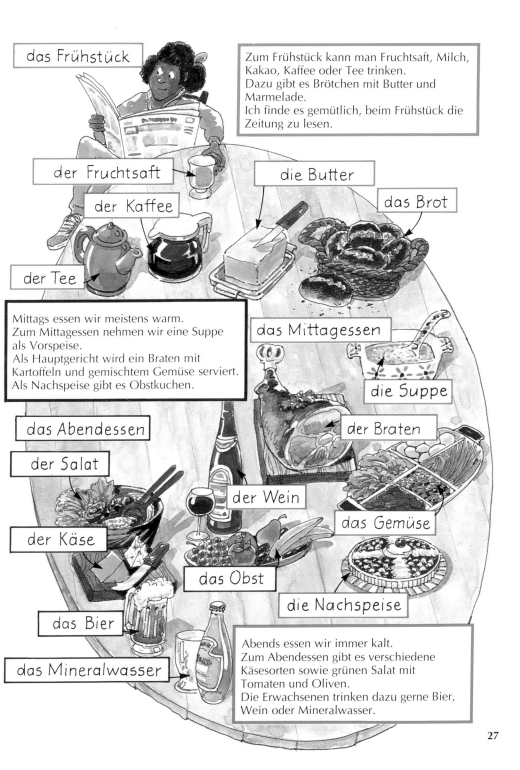

das Frühstück

Zum Frühstück kann man Fruchtsaft, Milch, Kakao, Kaffee oder Tee trinken.
Dazu gibt es Brötchen mit Butter und Marmelade.
Ich finde es gemütlich, beim Frühstück die Zeitung zu lesen.

der Fruchtsaft

der Kaffee

die Butter

das Brot

der Tee

Mittags essen wir meistens warm.
Zum Mittagessen nehmen wir eine Suppe als Vorspeise.
Als Hauptgericht wird ein Braten mit Kartoffeln und gemischtem Gemüse serviert.
Als Nachspeise gibt es Obstkuchen.

das Mittagessen

die Suppe

das Abendessen

der Braten

der Salat

der Wein

das Gemüse

der Käse

das Obst

die Nachspeise

das Bier

das Mineralwasser

Abends essen wir immer kalt.
Zum Abendessen gibt es verschiedene Käsesorten sowie grünen Salat mit Tomaten und Oliven.
Die Erwachsenen trinken dazu gerne Bier, Wein oder Mineralwasser.

27

Lebensmittel

das Fleisch

die Wurst

die Salami

die Lammkeule

das Schweine kotelett

das Steak

das Huhn

der Schinken

das Kalbfleisch

das Würstchen

Vater geht zum Metzger einkaufen.
Fs gibt eine große Auswahl an Fleisch und Wurst.
Soll er eine Lammkeule, ein Steak, Schweinekoteletts oder ein Stück Kalbfleisch kaufen?
Oder lieber ein Huhn?
Und bei der Wurst weiß er es auch nicht so recht:
Salami vielleicht, oder lieber Leberwurst, oder etwa Schinken?

die Erbse

das Gemüse

frisch

die Karotte

der Salat

roh

der Weißkohl

der Spinat

die Tomate

der Knoblauch

der Blumenkohl

die grüne Bohne

die Zwiebel

der Rosenkohl

die Kartoffel

Der Gemüsehändler baut seinen Stand auf und stellt seine Waren aus.
Er kommt jeden Tag in die Stadt und verkauft frisches Gemüse, Kartoffeln und Salat.
Heute hat er Rosen-, Blumen- und Weißkohl aus eigenem Anbau anzubieten.
Die Tomaten sind besonders zu empfehlen.

Die Karotten sind auch erste Qualität.
In den Kisten liegen Zwiebeln und Knoblauchknollen.
Es gibt auch Spinat, Erbsen und grüne Bohnen.
Neben dem Stand stehen Säcke mit Kartoffeln.
Wir sind gute Kunden bei ihm.

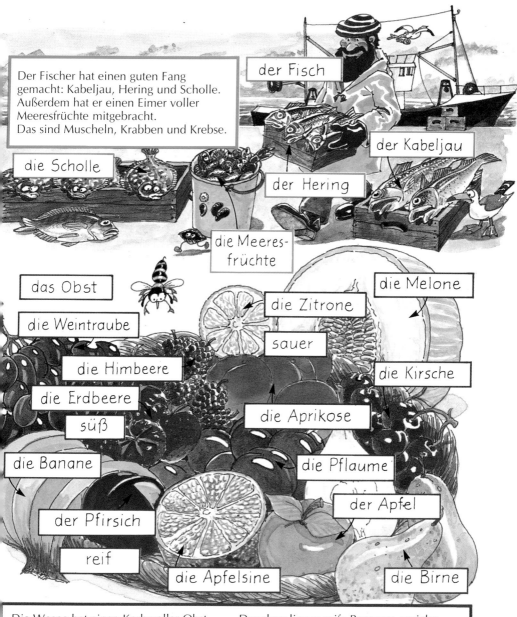

Der Fischer hat einen guten Fang gemacht: Kabeljau, Hering und Scholle. Außerdem hat er einen Eimer voller Meeresfrüchte mitgebracht.
Das sind Muscheln, Krabben und Krebse.

der Fisch

der Kabeljau

die Scholle

der Hering

die Meeresfrüchte

das Obst

die Melone

die Weintraube

die Zitrone

sauer

die Himbeere

die Kirsche

die Erdbeere

die Aprikose

süß

die Banane

die Pflaume

der Pfirsich

der Apfel

reif

die Apfelsine

die Birne

Die Wespe hat einen Korb voller Obst entdeckt und stürzt sich auf die Früchte. Sie weiß gar nicht so recht, womit sie anfangen soll.
Bei diesem großen Angebot fällt die Auswahl schwer.
Einige Früchte sind aufgeschnitten. Da gibt es frische Erdbeeren, süße Himbeeren und fruchtige Weintrauben.

Daneben liegen reife Bananen, weiche Birnen und saftige Apfelsinen.
Das ist aber noch nicht alles!
Sie kann darüberhinaus zwischen Pfirsichen, Äpfeln, Pflaumen und Aprikosen auswählen und zum Abschluß süße Kirschen und Honigmelone essen.
Oder hat sie etwa Lust auf etwas Saures? Wie wär's mit einer Zitrone?

29

Lebensmittel

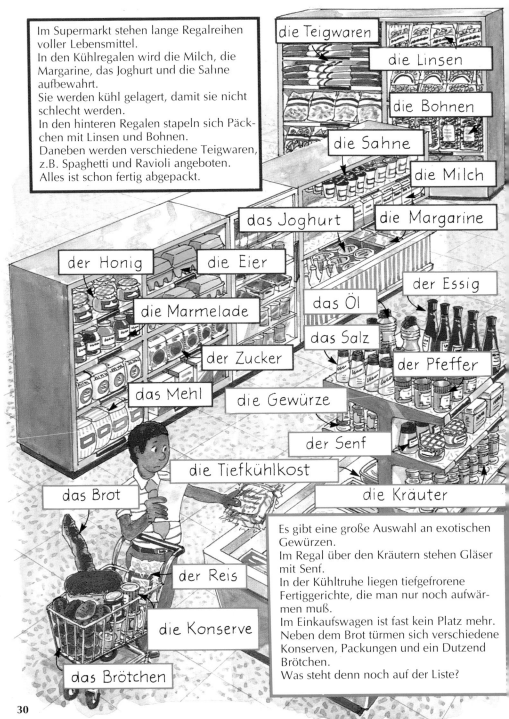

Im Supermarkt stehen lange Regalreihen voller Lebensmittel.
In den Kühlregalen wird die Milch, die Margarine, das Joghurt und die Sahne aufbewahrt.
Sie werden kühl gelagert, damit sie nicht schlecht werden.
In den hinteren Regalen stapeln sich Päckchen mit Linsen und Bohnen.
Daneben werden verschiedene Teigwaren, z.B. Spaghetti und Ravioli angeboten.
Alles ist schon fertig abgepackt.

die Teigwaren

die Linsen

die Bohnen

die Sahne

die Milch

das Joghurt

die Margarine

der Honig

die Eier

der Essig

die Marmelade

das Öl

der Zucker

das Salz

der Pfeffer

das Mehl

die Gewürze

der Senf

die Tiefkühlkost

das Brot

die Kräuter

der Reis

die Konserve

das Brötchen

Es gibt eine große Auswahl an exotischen Gewürzen.
Im Regal über den Kräutern stehen Gläser mit Senf.
In der Kühltruhe liegen tiefgefrorene Fertiggerichte, die man nur noch aufwärmen muß.
Im Einkaufswagen ist fast kein Platz mehr. Neben dem Brot türmen sich verschiedene Konserven, Packungen und ein Dutzend Brötchen.
Was steht denn noch auf der Liste?

In der Konditorei gibt es allerhand Süßigkeiten.
Das Mädchen hat keine Lust auf Gebäck, es will lieber ein Eis.
Der Mann verzehrt genüßlich das Hefeteilchen, das er sich gerade gekauft hat.
Die Verkäuferin stellt die Sahnetorte wieder in die Theke zurück.

die Schokolade

der Keks

der Obstkuchen

das süße Gebäck

die Torte

das Hefeteilchen

das Eis

kochen

das Rezept

probieren

der Geschmack

Köstlich !

die Zutaten

umrühren

Heute kochen wir nach einem neuen Rezept.
Die Zutaten stehen schon auf dem Tisch.
Mutter rührt den Teig um und gibt noch Salz dazu.
Ich darf probieren.
Der Geschmack ist köstlich!

Freizeit

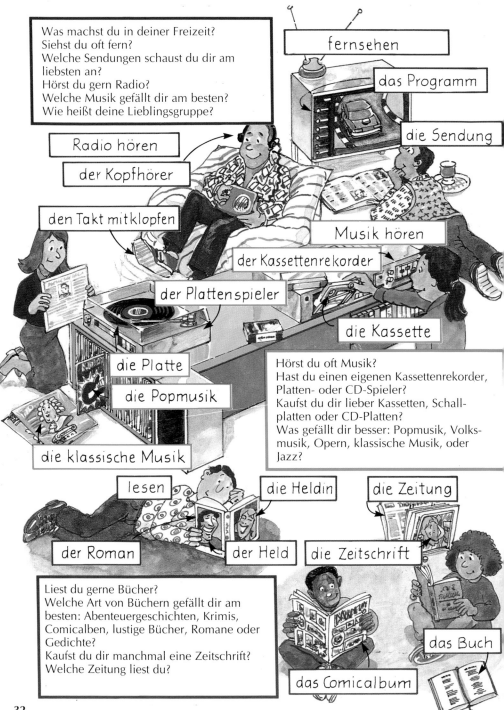

Was machst du in deiner Freizeit?
Siehst du oft fern?
Welche Sendungen schaust du dir am liebsten an?
Hörst du gern Radio?
Welche Musik gefällt dir am besten?
Wie heißt deine Lieblingsgruppe?

fernsehen

das Programm

die Sendung

Radio hören

der Kopfhörer

den Takt mitklopfen

Musik hören

der Kassettenrekorder

der Plattenspieler

die Kassette

die Platte

die Popmusik

die klassische Musik

Hörst du oft Musik?
Hast du einen eigenen Kassettenrekorder,
Platten- oder CD-Spieler?
Kaufst du dir lieber Kassetten, Schall-
platten oder CD-Platten?
Was gefällt dir besser: Popmusik, Volks-
musik, Opern, klassische Musik, oder
Jazz?

lesen

die Heldin

die Zeitung

der Roman

der Held

die Zeitschrift

Liest du gerne Bücher?
Welche Art von Büchern gefällt dir am
besten: Abenteuergeschichten, Krimis,
Comicalben, lustige Bücher, Romane oder
Gedichte?
Kaufst du dir manchmal eine Zeitschrift?
Welche Zeitung liest du?

das Buch

das Comicalbum

stricken

die Stricknadeln

das Muster

Zum Stricken braucht man ein Paar Strick-
nadeln und Wolle.
Es geht besser, wenn man mit einer
Anleitung oder nach einem Muster strickt.

die Wolle

nähen

Auf dem Tisch hier liegt alles, was man zum
Nähen benötigt.
Der Stoff ist schon zugeschnitten und abge-
steckt.
Vieles kann man besser und bequemer
nähen, wenn man eine Nähmaschine hat.
Damit wird man schneller fertig.

der Stoff

der Faden

die Nähmaschine

die Nadel

die Schere

die Stecknadel

basteln

das Heimwerken

der Hammer

geschickt

reparieren

der Schraubenzieher

Vater und Mutter sind Heimwerker.
Beide sind geschickt und basteln gerne.
Sie können fast alles selber machen.
Wenn etwas kaputtgegangen ist, dann
bringen sie es wieder in Ordnung.
Sie brauchen keine Handwerker.
Mutter repariert zur Zeit einen Stuhl.
Vater will einen Tisch bauen.
Hier sägt er gerade ein Brett zurecht.

die Säge

bauen

Freizeit

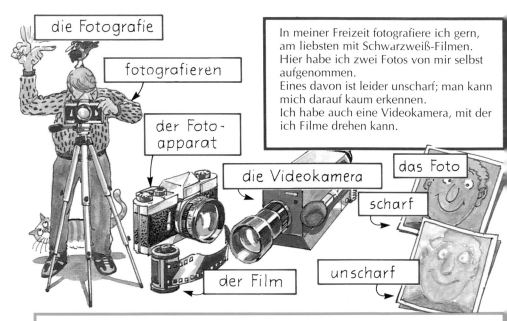

die Fotografie

fotografieren

der Foto-apparat

In meiner Freizeit fotografiere ich gern, am liebsten mit Schwarzweiß-Filmen. Hier habe ich zwei Fotos von mir selbst aufgenommen.
Eines davon ist leider unscharf; man kann mich darauf kaum erkennen.
Ich habe auch eine Videokamera, mit der ich Filme drehen kann.

die Videokamera

das Foto

scharf

unscharf

der Film

In der Kunstgalerie hängen viele Gemälde. Die Bilder sind alle von berühmten Malern. Hier betrachtet eine Frau die Ausstellung.

Währenddessen malt der Künstler mit Pinsel und Farbe ein Bild. Vielleicht wird es ein Meisterwerk.

die Kunstgalerie

der Maler

das Gemälde

die Ausstellung

malen

der Pinsel

das Bild

Ich sammle gern Briefmarken.
Ich besitze eine große Sammlung von Briefmarken aus der ganzen Welt.
Meine Freunde helfen mir beim Sortieren.
Wir kleben die Marken ins Album ein.

Briefmarken sammeln

sortieren

einkleben

die Sammlung

Die Musiker und Musikerinnen dieses Orchesters spielen verschiedene Instrumente.
Fünf spielen Geige, vier spielen Trompete und vier spielen Klarinette.

Der Pianist spielt wundervoll Klavier.
Der Gitarrist spielt Gitarre.
Der Schlagzeuger schlägt die Pauken.
Die Cellistin spielt ein gekonntes Solo.
Der Dirigent leitet das Orchester.

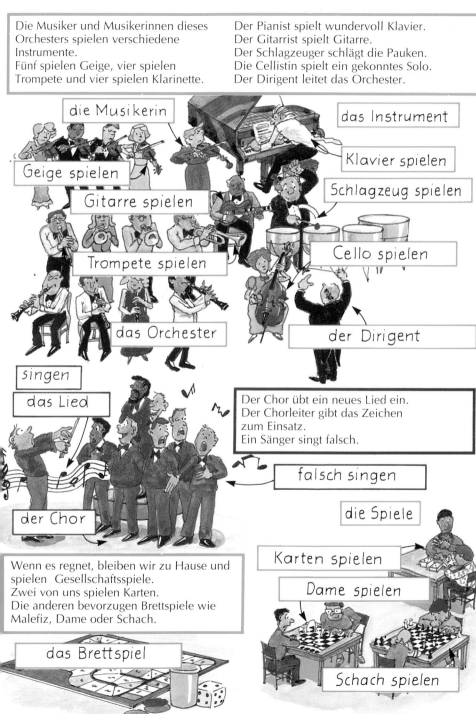

die Musikerin

das Instrument

Geige spielen

Klavier spielen

Gitarre spielen

Schlagzeug spielen

Trompete spielen

Cello spielen

das Orchester

der Dirigent

singen

das Lied

Der Chor übt ein neues Lied ein.
Der Chorleiter gibt das Zeichen zum Einsatz.
Ein Sänger singt falsch.

falsch singen

der Chor

die Spiele

Wenn es regnet, bleiben wir zu Hause und spielen Gesellschaftsspiele.
Zwei von uns spielen Karten.
Die anderen bevorzugen Brettspiele wie Malefiz, Dame oder Schach.

Karten spielen

Dame spielen

das Brettspiel

Schach spielen

35

Ausgehen

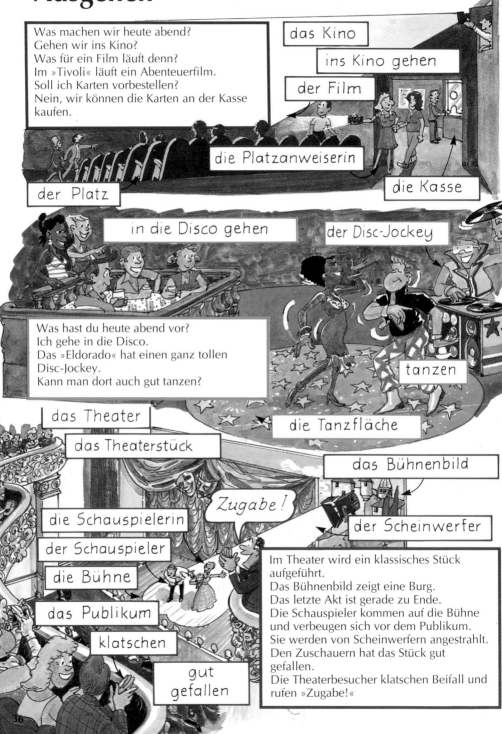

Was machen wir heute abend?
Gehen wir ins Kino?
Was für ein Film läuft denn?
Im »Tivoli« läuft ein Abenteuerfilm.
Soll ich Karten vorbestellen?
Nein, wir können die Karten an der Kasse kaufen.

das Kino

ins Kino gehen

der Film

die Platzanweiserin

der Platz

die Kasse

in die Disco gehen

der Disc-Jockey

Was hast du heute abend vor?
Ich gehe in die Disco.
Das »Eldorado« hat einen ganz tollen Disc-Jockey.
Kann man dort auch gut tanzen?

tanzen

die Tanzfläche

das Theater

das Theaterstück

das Bühnenbild

Zugabe!

die Schauspielerin

der Scheinwerfer

der Schauspieler

die Bühne

das Publikum

klatschen

gut gefallen

Im Theater wird ein klassisches Stück aufgeführt.
Das Bühnenbild zeigt eine Burg.
Das letzte Akt ist gerade zu Ende.
Die Schauspieler kommen auf die Bühne und verbeugen sich vor dem Publikum.
Sie werden von Scheinwerfern angestrahlt.
Den Zuschauern hat das Stück gut gefallen.
Die Theaterbesucher klatschen Beifall und rufen »Zugabe!«

das Ballett

auftreten

der Ballettänzer

die Oper

der Sänger

das Kostüm

Gehen wir heute ins Ballett?
Es treten eine Tänzerin und ein Tänzer auf,
die international bekannt sind.
Welches Ballett wird denn aufgeführt?

Oder möchtest du lieber in die Oper?
Dort kann man berühmte Sänger hören.
Meine Tante liebt Operetten - schon
wegen der schönen Kostüme.

das Restaurant

der Ober

die Speisekarte

Ist die Bedienung inbegriffen?

Ohne Bedienung!

die Rechnung

Sie wünschen?

bestellen

servieren

das Trinkgeld

das Tablett

die Vorspeise

das Hauptgericht

die Nachspeise

Im Restaurant herrscht Hochbetrieb.
Ich finde dennoch einen freien Tisch.
»Herr Ober, bitte die Speisekarte.«
»Sie wünschen?«
»Ich hätte gerne die Tagessuppe als Vorspei-
se; als Hauptgericht möchte ich Kalbsbraten
mit Kartoffeln und Gemüse.«
»Und was möchten Sie trinken?«
»Ein Glas Mineralwasser, bitte.«

Der Kellner nimmt die Bestellung auf.
Nach einer Weile serviert er das Essen.
»Wünschen Sie noch eine Nachspeise?«
»Ja bitte, ein Stück Apfelkuchen.«
»Die Rechnung, bitte.«
»Das macht DM 32,50.«
»Ist die Bedienung inbegriffen?«
»Nein, der Preis ist ohne Bedienung!«
Der Gast gibt dem Kellner ein Trinkgeld.

Im Zoo

Wir gehen manchmal sonntags in den Zoo.
Es macht Spaß, die vielen verschiedenen Tiere zu beobachten.
Da gibt es Eisbären, Zebras und Giraffen, Elefanten und Gorillas.
Zu bestimmten Zeiten kann man bei der Fütterung zusehen.
Gerade füttert der Wärter einen Elefanten.
Der Elefant holt sich mit seinem Rüssel einen Apfel aus dem Korb.
Vor dem wilden Gorilla haben viele Zoobesucher Angst - du auch?

der Zoo

das Tier

das Zebra

die Giraffe

der Eisbär

der Elefant

der Rüssel

der Gorilla

wild

zahm

der Stoßzahn

füttern

der Zoowärter

Im Park

der Park

der Teich

Im Park gibt es einen kleinen Teich, auf dem man Boot fahren kann.
Man kann sich ein Ruderboot ausleihen und damit von einem Ufer zum anderen rudern.
Viele Leute lassen sich zu einem Picknick nieder oder ruhen sich auf den Bänken aus.

das Ruder

das Ruderboot

rudern

sich ausruhen

das Picknick

die Bank

der Affe

das Känguruh

das Kamel

der Strauß

der Höcker

Das Känguruh hat Junge bekommen.
Die Jungen sitzen in seinem Beutel.
Auf dem Kamel darf man sogar reiten.
Du mußt dich gut am Höcker festhalten,
damit du nicht herunterfällst.
Das Nilpferd zeigt seine riesigen Zähne,
aber es gähnt nur.
Die Pinguine rutschen einen kleinen
Eisberg hinunter.
Der Zoowärter trägt die Schlange ins
Reptilienhaus.
Der Tiger brüllt den Löwen an.
Er will ihm den Knochen abjagen.

der Käfig

der Löwe

der Adler

brüllen

der Pinguin

der Tiger

das Nilpferd

die Schlange

der Parkwächter

die Schaukel

Der Parkwächter paßt auf, daß nichts
passiert.
Auf dem Kinderspielplatz kann man
schaukeln, herumklettern oder die
Rutschbahn hinunterrutschen.
Am Karussell muß man sich festhalten.
Die Kleinen spielen gern im Sandkasten.
Sie graben Tunnels und bauen Burgen.

aufpassen auf

klettern

die Rutschbahn

das Karussell

graben

sich festhalten an

In der Stadt

die Großstadt

der Vorort

die Stadt

die Brücke

der Fluß

der Wolkenkratzer

der Dom

der Stadtteil

das Gebäude

die Kirche

Vom Wolkenkratzer hat man einen guten
Ausblick auf die ganze Stadt.
Am Horizont kann man auch die Vororte
erkennen.
Bei schönem Wetter kann man weit sehen.
Man blickt über die große Brücke, den Fluß,
den Dom, die Kirche mit dem Friedhof und
viele andere Gebäude.
Der Fensterputzer muß alle Fensterscheiben
des Hochhauses putzen.

der Friedhof

die
Feuerwache

das Rathaus

die
Polizeiwache

das Löschfahrzeug

das Bürogebäude

der
Streifenwagen

die Fabrik

die Bücherei

Die Feuerwehr muß ausrücken.
Die Löschfahrzeuge fahren mit Blaulicht und
Martinshorn zum Brandort.
Ein Feuerwehrmann versucht eine Katze vom
Schornstein zu retten.

Die Polizei fährt auch einen Einsatz.
Ein Streifenwagen verläßt eilig die
Wache - es ist ein Unfall passiert.
Er fährt am Rathaus vorbei und biegt
an der Bücherei ab.

Wir befinden uns hier in der Innenstadt.
Die Gegend ist sehr belebt; an jeder Ecke
ist ewas los.
Auf dem Zebrastreifen können die
Fußgänger die Straße überqueren.
Sie können auch die Unterführung benutzen,
um auf die andere Straßenseite zu wechseln.
In den schmalen Straßen und engen Gassen
gibt es viele Geschäfte.
Auf dem kleinen Platz mit der Statue füttert
eine Frau die Vögel.
Dort steht auch ein Straßenmusiker und
macht Musik.
Der Marktplatz ist der Mittelpunkt der Stadt.

die Innenstadt

die Straße

breit

schmal

die Ecke

die Straße
überqueren

der
Zebrastreifen

der Fußgänger

der Platz

die Statue

der
Marktplatz

die Straßenlaterne

die Unterführung

Es ist Feierabend, und die Leute drängen
sich, weil alle so schnell wie möglich
nach Hause wollen.
Ein Mann kauft eine Zeitung am Zeitungsstand.
Der Kiosk ist rundherum mit Plakaten
beklebt.
Auf dem Dach sitzt eine Taube und
schaut dem geschäftigen Treiben zu.

der
Zeitungsstand

die Taube

sich drängen

geschäftig

der
Papierkorb

das Plakat

der Bürgersteig

sich beeilen

Einkaufen

eine Einkaufs-
liste machen

Bevor ich in die Stadt zum Einkaufen gehe,
mache ich mir eine Einkaufsliste.

die Einkaufstasche

die Geschäfte

einkaufen gehen

das Feinkostgeschäft

die Bäckerei

die Metzgerei

das Lebensmittelgeschäft

das Fischgeschäft

das Handarbeitsgeschäft

die Konditorei

die Apotheke

die Buchhandlung

der Blumenladen

das Schallplattengeschäft

der Friseur

die Boutique

Zuerst besorge ich die Lebensmittel.
Ich schaue mir an, ob es im Feinkostge-
schäft auch Sonderangebote gibt.
Sonst sind mir die Delikatessen zu teuer.
Mhm, wie das duftet!
Der Bäcker backt gerade frisches Brot.
Die Katzen riechen wohl etwas anderes.
Auf Fisch habe ich heute keine Lust. Um
die Konditorei mache ich einen Bogen.

In der Buchhandlung schaue ich mir die
Neuerscheinungen an.
Die Buchhändlerin berät mich gerne
und kann mir sicher ein Buch empfehlen.
Einen schönen Blumenstrauß darf ich nicht
vergessen.
Jetzt habe ich alles besorgt, was auf meinem
Einkaufszettel steht.
Ob ich alle meine Einkäufe tragen kann?

auf dem Markt einkaufen

der Marktstand

anstehen

Das macht...

Wieviel macht das?

wiegen

Geben Sie mir bitte noch ein Pfund dazu

Auf dem Markt kaufe ich sehr gerne ein, auch wenn man manchmal in der Schlange anstehen muß.
Denn hier gibt es immer frische Ware.

»Die Tomaten wiegen genau ein Kilo.«
»Geben Sie mir bitte noch ein Pfund dazu.«
»Wieviel macht das zusammen?«
»Das macht neun Mark zwanzig, bitte.«
»Hier gebe ich Ihnen zehn Mark.«
»Sie bekommen achtzig Pfennig zurück.«

in den Supermarkt gehen

der Lautsprecher

der Einkaufskorb

die Theke

der Gang

die Dose

der Einkaufswagen

die Packung

die Flasche

der Eingang

die Kasse

der Ausgang

die Tragetasche

die Kassiererin

Einmal in der Woche gehe ich in den Supermarkt einkaufen.
Ich fahre mit dem Einkaufswagen die Gänge entlang und schaue nach preiswerten Angeboten.
Es lohnt sich, Großpackungen zu kaufen. Aber man muß genau hinschauen, nicht alle Waren sind hier wirklich preisgünstig.
Ich habe vergessen, einen Einkaufskorb von zu Hause mitzubringen - jetzt muß ich an der Kasse am Ausgang eine Tragetasche kaufen.
Die Kassiererin reicht mir den Kassenzettel.

43

Einkaufen

Die zwei Freundinnen machen einen Schaufensterbummel.
Beim Schlußverkauf gibt es viele Sonderangebote.
Die beiden stehen vor dem Schaufenster und betrachten ein blaues Kleid.

»Das Kleid ist wirklich wunderschön und preiswert - ich möchte es mir kaufen.«
Ihre Freundin widerspricht: »Meiner Meinung nach ist es zu teuer.«
Im Geschäft hat die Verkäuferin einer Kundin gerade ein Kleid verkauft.

»Sie wünschen?«
»Ich hätte gerne einen Anzug.«
»Welche Größe tragen Sie?«
»Ich glaube, Größe 50.«
»Wieviel Geld möchten Sie ungefähr ausgeben?«

»Wieviel kostet dieser Pullover hier?«
»Er kostet 60 DM.«
»Welche Größe ist das?«
»Das ist Größe 38.«
»Haben Sie ihn auch in Größe 40?«
»Ich bedauere, leider nicht mehr.«

In der Buchhandlung ist der Teufel los. Der Hund des Kunden hat sich losgerissen und jagt einer Katze nach. Dabei bringt er alles in Unordnung. Bücher fallen zu Boden.

Der Buchhändler hält sich am Regal fest. Er verliert den Halt unter den Füßen. Hoffentlich fällt er nicht herunter! Die Verkäuferin läßt vor Schreck die Briefumschläge und Postkarten fallen.

die Buch- und Schreibwarenhandlung

die Postkarte

der Briefumschlag

das Buch

der Kugelschreiber

der Bleistift

das Taschenbuch

das Schreibpapier

das Kaufhaus

die Abteilung

der Aufzug

die Rolltreppe

Spielwaren

Sportabteilung

Möbel

Oberbekleidung

Im Kaufhaus gibt es verschiedene Abteilungen. Im Erdgeschoß ist die Möbel-Ausstellung. Hier kann man probesitzen.

Nebenan befindet sich die Oberbekleidung. Mit dem Aufzug oder mit der Rolltreppe kommt man in den ersten Stock. Dort gibt es Spielwaren und Sportartikel.

45

Post und Bank

Auf der Post kann man Briefmarken kaufen, Telegramme aufgeben sowie Pakete und Päckchen abschicken.
Der Mann im roten Hemd wirft gerade einen Brief in den Briefkasten.
Auf dem Briefkasten sind die Leerungszeiten angegeben.

Um ein Paket zu verschicken, muß man ein Formular ausfüllen: die Paketkarte. Bei der Anschrift und beim Absender bitte die Postleitzahl nicht vergessen! Auf jeden Brief gehört eine Briefmarke. Briefe nach Übersee sollte man per Luftpost schicken.

das Postamt

schicken

das Telegramm

der Briefkasten

einwerfen

das Formular

der Brief

das Paket

die Leerungszeiten

die Briefmarke

per Luftpost

die Adresse

der Briefträger

die Postleitzahl

die Post

zustellen

Der Briefträger hat sich eine prall gefüllte Tasche umgehängt.
Er trägt die Post aus.

die Bank

der Kassierer

das Geld

Haben Sie Kleingeld?

Geld wechseln

die Münze

der Wechselkurs

der Geldschein

der Bankdirektor

der Geldautomat

Geld einzahlen

Geld abheben

die Brieftasche

das Scheckheft

einen Scheck ausstellen

der Geldbeutel

die Handtasche

Auf der Bank kann man Geld wechseln.
»Ich möchte gerne 600 DM in Dollar tauschen. Wie ist denn der Wechselkurs?«
»Für 600 DM erhalten Sie 300 Dollar.«
Auf der Bank kann man auch Kleingeld bekommen.
»Können sie mir bitte einen Zwanzigmarkschein wechseln?«
»Hier haben Sie einen Zehnmarkschein und zwei Fünfmarkstücke, bitte sehr.«

Wenn man ein Konto bei der Bank hat, kann man Geld abheben, einzahlen oder überweisen.
Mit der Scheckkarte oder der Kreditkarte kann man am Geldautomaten Geld abheben.
Man schiebt die Karte in den Geldautomaten, tippt die Geheimnummer ein, und die Geldscheine kommen heraus.
Wenn man ein Scheckheft besitzt, kann man einen Scheck ausstellen.

47

Telefonieren

telefonieren
das Telefon
der Hörer
läuten
ans Telefon gehen
Wolfgang Glöckner
Hier ist Anke Mess.
den Hörer abnehmen
die Nummer wählen
Soll sie Sie zurückrufen?
die Vorwahl
die Rufnummer
Auf Wiederhören!
das Telefonbuch
auflegen

Telefonieren ist einfach und praktisch.
Man nimmt den Hörer ab, wählt zuerst die Vorwahl und dann die Rufnummer.
Wenn man die Telefonnummer nicht kennt, kann man im Telefonbuch nachsehen oder die Auskunft anrufen.
Wenn das Telefon läutet, gehe ich ans Telefon, nehme den Hörer ab und melde mich mit meinem Namen.
Am Schluß des Gesprächs lege ich auf.

»Wolfgang Glöckner.«
»Hier ist Anke Mess. Kann ich bitte Irene sprechen?«
»Irene ist leider nicht zu Hause. Soll ich ihr ausrichten, daß sie Sie zurückrufen soll?«
»Ja, bitte. Das wäre sehr nett von Ihnen. Meine Nummer ist 0371 / 473766. Auf Wiederhören!«
»Bitte sehr, auf Wiederhören!«

die Telefonzelle
der Notfall
die Notrufnummer wählen

Bei einem Notfall kann man von einer Telefonzelle aus die Notrufnummer wählen, damit Hilfe kommt.

Briefe

einen Brief schreiben

Sehr geehrte Damen und Herren,

vielen Dank für Ihren Brief vom...

Anbei finden Sie...

Blauburg, 12.3.1990

...postwendend

Mit freundlichen Grüßen

Beim Briefeschreiben muß man zuerst an die Anrede denken.
Kennst du den Adressaten nicht mit Namen, schreibst du:
»Sehr geehrte Damen und Herren!«

Kennst du den Adressaten zwar mit Namen, bist aber nicht mit ihm befreundet, so schreibst du ihn mit
»Sehr geehrter Herr ... « oder
»Sehr geehrte Frau ... « an.

einen Brief öffnen

Liebe Anke,

schön, mal wieder von Dir zu hören. Ich schicke Dir mit getrennter Post...

9.1.1999

Herzliche Grüße...

Man schreibt das Datum auf den Brief.
Schreibst du einem oder einer Verwandten, einem Freund oder einer Freundin, fängst du mit »Lieber ...« oder mit »Liebe ...« an.

Du verabschiedest dich mit:
»Herzliche Grüße, Dein/Deine ...«
Einen geschäftlichen Brief schließt man mit:
»Mit freundlichen Grüßen, ...«

eine Postkarte schicken

Lieber Wolfgang!
Es ist ganz toll hier.
Schade, daß Du nicht
...ein konntest.

Herrn
Wolfgang Glöckner
Regerweg 27
...hen

ein Telegramm schicken

Dringend
stop sofort
zu Hause anrufen
stop Papa

Will man keinen langen Brief schreiben, schickt man eine Postkarte.
Noch kürzer ist ein Telegramm.
In einem Telegramm schreibt man keine ganzen Sätze, sondern nur Stichworte.

Man gibt ein Telegramm auf, wenn man jemanden schnell über etwas Wichtiges informieren will.
Auf schnellstem Wege kann man einen Brief per Eilboten schicken.

Unterwegs

zu Fuß gehen

laufen

Wie komme ich, bitte, nach...?

der Wegweiser

nach dem Weg fragen

die Landkarte

Es geht in diese Richtung.

der Sportwagen

Der Wanderer mit dem Rucksack fragt nach dem Weg.
Er hat zwar eine Landkarte, aber er kennt sich nicht aus.
»Wie komme ich, bitte, nach ...?«

»Da gehen Sie am besten diesen Weg. Hier steht es auch auf dem Wegweiser.«
»Ist es weit von hier entfernt?«
»Ungefähr 20 Kilometer.«
»Vielen Dank.«

den Bus nehmen

der Fahrgast

aussteigen

der Fahrschein

die U-Bahnstation

einsteigen

der Bus

die U-Bahn

die Bushaltestelle

In der Stadt benutzen viele Leute die öffentlichen Verkehrsmittel.
Sie nehmen den Bus, die Staßenbahn, die S-Bahn oder die U-Bahn.
Der Bus hält an der Bushaltestelle.

Ein Fahrgast steigt hinten aus.
Die Frau mit dem Kind steigt vorne in den Bus ein.
Ihre Freundin winkt ihr zum Abschied hinterher.

der Verkehr

der Lastwagen

der Lieferwagen

der Reisebus

der Fahrer

fahren

das Auto

das Mofa

das Fahrrad

Fahrrad fahren

langsam

das Motorrad

schnell

der Verkehrsstau

Auf den großen Straßen herrscht meistens viel Verkehr.
Lastwagen transportieren Lebensmittel und andere Güter von Land zu Land oder von einer Stadt zur anderen.
Reisebusse bringen Reisende von einem Ort zum anderen.
Der Motorradfahrer überholt alle.

Der Radfahrer hat sich wohl verirrt - hier ist es viel zu gefährlich für ihn.
Viele Leute fahren mit ihrem Auto zur Arbeit oder in die Stadt zum Einkaufen.
Mit dem Mofa ist man nicht so schnell.
Bei zuviel Verkehr gibt es oft Staus.
Dann steckt man fest und kann nicht weiterfahren.

der Taxistand

das Taxi

ein Taxi rufen

der Fahrpreis

Wenn man nicht den Bus nehmen will, kann man auch mit einem Taxi fahren.
Man geht einfach zu einem Taxistand und steigt in den nächsten freien Wagen.

51

Auto fahren

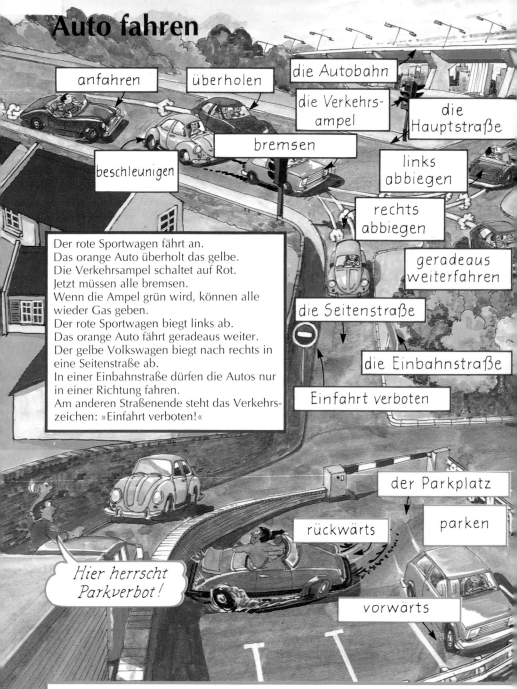

anfahren

überholen

die Autobahn

die Verkehrs-
ampel

die
Hauptstraße

bremsen

beschleunigen

links
abbiegen

rechts
abbiegen

geradeaus
weiterfahren

die Seitenstraße

die Einbahnstraße

Einfahrt verboten

Der rote Sportwagen fährt an.
Das orange Auto überholt das gelbe.
Die Verkehrsampel schaltet auf Rot.
Jetzt müssen alle bremsen.
Wenn die Ampel grün wird, können alle
wieder Gas geben.
Der rote Sportwagen biegt links ab.
Das orange Auto fährt geradeaus weiter.
Der gelbe Volkswagen biegt nach rechts in
eine Seitenstraße ab.
In einer Einbahnstraße dürfen die Autos nur
in einer Richtung fahren.
Am anderen Straßenende steht das Verkehrs-
zeichen: »Einfahrt verboten!«

der Parkplatz

rückwärts

parken

*Hier herrscht
Parkverbot!*

vorwärts

Der Lastwagenfahrer ärgert sich.
Er kommt nicht weiter, weil ein Auto im
Parkverbot steht und den Weg versperrt.

Auf dem Parkplatz sind noch viele
Plätze frei.
Das grüne Auto parkt vorwärts ein.

52

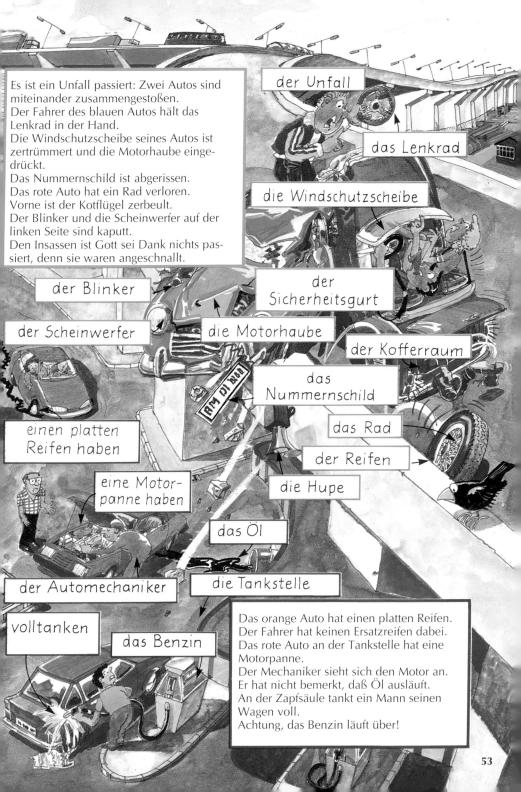

Es ist ein Unfall passiert: Zwei Autos sind miteinander zusammengestoßen.
Der Fahrer des blauen Autos hält das Lenkrad in der Hand.
Die Windschutzscheibe seines Autos ist zertrümmert und die Motorhaube eingedrückt.
Das Nummernschild ist abgerissen.
Das rote Auto hat ein Rad verloren.
Vorne ist der Kotflügel zerbeult.
Der Blinker und die Scheinwerfer auf der linken Seite sind kaputt.
Den Insassen ist Gott sei Dank nichts passiert, denn sie waren angeschnallt.

der Unfall

das Lenkrad

die Windschutzscheibe

der Blinker

der Sicherheitsgurt

der Scheinwerfer

die Motorhaube

der Kofferraum

das Nummernschild

einen platten Reifen haben

das Rad

der Reifen

eine Motorpanne haben

die Hupe

das Öl

der Automechaniker

die Tankstelle

volltanken

das Benzin

Das orange Auto hat einen platten Reifen.
Der Fahrer hat keinen Ersatzreifen dabei.
Das rote Auto an der Tankstelle hat eine Motorpanne.
Der Mechaniker sieht sich den Motor an.
Er hat nicht bemerkt, daß Öl ausläuft.
An der Zapfsäule tankt ein Mann seinen Wagen voll.
Achtung, das Benzin läuft über!

Eisenbahn fahren

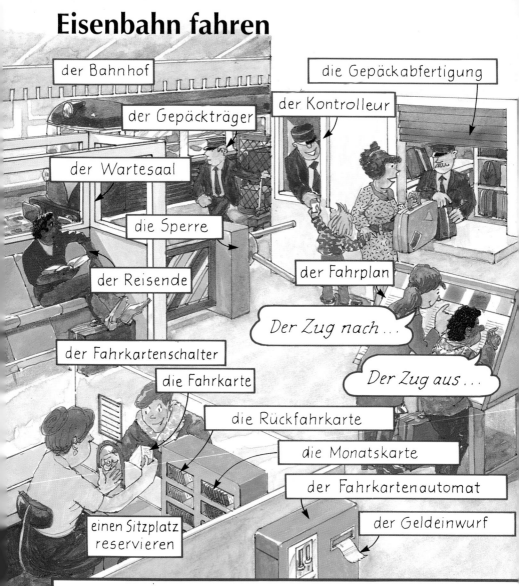

der Bahnhof

die Gepäckabfertigung

der Gepäckträger

der Kontrolleur

der Wartesaal

die Sperre

der Reisende

der Fahrplan

Der Zug nach...

der Fahrkartenschalter

die Fahrkarte

Der Zug aus...

die Rückfahrkarte

die Monatskarte

der Fahrkartenautomat

einen Sitzplatz reservieren

der Geldeinwurf

Es ist Urlaubszeit.
Viele Leute wollen mit der Eisenbahn in die Ferien fahren.
Im Wartesaal warten einige Reisende auf ihren Zug.
Bei der Gepäckabfertigung kann man seinen Koffer aufgeben.
Er wird von der Bahn ans Reiseziel gebracht.
Man kann an diesem Schalter auch Gepäck zur Aufbewahrung abgeben.

Auf dem Fahrplan kann man ablesen, wann die Züge abfahren und wann sie ankommen.
Fahrkarten kauft man am Schalter, am Automaten oder im Reisebüro.
Wenn man genügend Kleingeld dabei hat, kann man die Fahrkarte am Automaten lösen.
Wer einen sicheren Sitzplatz haben will, sollte sich einen Platz reservieren.
Der Gepäckträger bringt das Gepäck an den Zug.

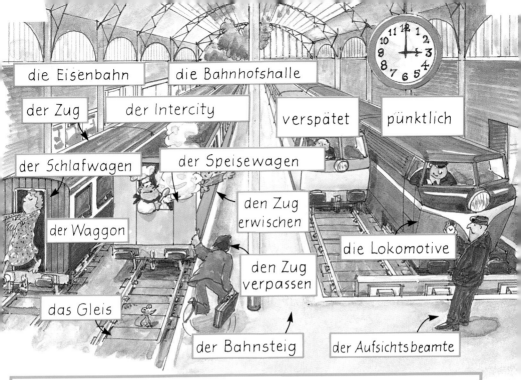

die Eisenbahn
die Bahnhofshalle
der Zug
der Intercity
verspätet
pünktlich
der Schlafwagen
der Speisewagen
der Waggon
den Zug erwischen
die Lokomotive
den Zug verpassen
das Gleis
der Bahnsteig
der Aufsichtsbeamte

Man kann mit dem Zug entweder in der 1. oder in der 2.Klasse fahren.
Die Züge sind nicht immer pünktlich; sie haben manchmal Verspätung.
Im Intercity kann man unterwegs im Speisewagen essen und trinken.
Wenn man über Nacht reist, kann man im Schlafwagen ungestört schlafen.

Durch den Lautsprecher wird angesagt: »Der Intercity nach München fährt ab auf Gleis 2, planmäßige Abfahrt 14.59 Uhr.« Ein Mann rennt auf den Bahnsteig, um seinen Zug noch zu erwischen.
Aber er kommt zu spät und verpaßt ihn.
Der Zug fährt ihm vor der Nase weg.
So ein Pech!

der Schnellzug
der Güterzug
der Sitzplatz
der reservierte Platz
das Gepäcknetz
Nichtraucher

Im Güterzug werden Güter transportiert.
Wenn man mit einem Schnellzug fahren will, muß man einen Zuschlag bezahlen.
Man erkennt seinen reservierten Platz an der Nummer.
Im Nichtraucher-Abteil ist das Rauchen verboten.

55

Reisen mit Flugzeug und Schiff

der Flughafen

das Flugzeug

ANKUNFT

fliegen

Viele Urlauber fliegen in weit entfernte Ferienziele mit dem Flugzeug.
Auf dem Flughafen wimmelt es von Menschen.
Ein Flugzeug nach dem anderen startet oder landet auf der Start- und Landebahn.

die Start- und Landebahn

starten

landen

der Zoll

der Zöllner

Nichts zu verzollen.

»Haben sie etwas zu verzollen? Zigaretten, Alkohol, irgendwelche Wertgegenstände?«
»Nein, ich habe nichts zu verzollen!«
»Darf ich bitte Ihren Paß sehen?«

der Paß

der Hafen

mit dem Schiff fahren

das Schiff

das Passagierschiff

der Schornstein

die Flagge

die Kabine

der Kapitän

das Bullauge

das Deck

der Anker

die Gangway

Viele träumen von einer Kreuzfahrt auf dem Mittelmeer.
Andere fahren nicht gerne mit dem Schiff, denn sie werden leicht seekrank.
Hier läuft gerade ein großes Passagierschiff in den Hafen ein.
Am Heck weht eine Flagge.

Im Hafen liegen viele Schiffe.
Sie kommen aus der ganzen Welt.
Über die Gangway gelangt man auf das Schiff.
Der Kapitän steht an Deck und begrüßt die Passagiere.
Bald wird das Schiff auslaufen.

56

Vor dem Abflug muß man zuerst einchecken.
Man geht zum Schalter, weist seinen Flugschein vor und gibt sein Gepäck auf. Jeder Koffer braucht ein Namensschildchen. Dann bekommt er einen Gepäckanhänger und wird ins Flugzeug verladen.
Bei Flügen ins Ausland kann man vor dem Abflug im Duty-free-Shop zollfrei einkaufen.
Am Eingang zum Flugsteig muß man seine Bordkarte vorweisen.
Erst dann darf man einsteigen.
Der Pilot und seine Besatzung machen das Flugzeug startklar. Als Handgepäck darf man ein Stück mitnehmen.

ABFLUG

der Duty-free-Shop

Bitte anschnallen!

der Pilot

die Besatzung

die Stewardess

der Schalter

der Koffer

einsteigen

der Flugschein

die Passagiere

das Handgepäck

der Gepäckwagen

die Fähre

das Dock

der Kran

seekrank sein

die Fracht

beladen

entladen

Die Fähre verkehrt regelmäßig zwischen dem Festland und der Insel und setzt auch Autos über.
Im Hafen werden Frachter be- und entladen. Das Entladen nennt man auch Löschen.
Mit Hilfe eines Krans wird die Fracht von den Seeleuten im Laderaum verstaut.
Auf dem Schwimmdock wird ein Schiff repariert.

der Laderaum

der Seemann

Ferien

in die Ferien fahren

den Koffer packen

die Touristin

Bevor man in die Ferien fährt, muß man seinen Koffer packen.
Meistens nimmt man zuviel mit, und der Koffer läßt sich nicht mehr schließen. Alles muß hineinpassen: Regenbekleidung und leichte Sachen für warmes Wetter. Ob die Katze Sonnencreme braucht?

die Sonnencreme

die Sonnenbrille

etwas besichtigen

im Hotel wohnen

das Hotel

der Empfang

der Page

mit Dusche

das Einzelzimmer

mit Balkon

das Doppelzimmer

ein Zimmer reservieren

die Pension

ausgebucht

Ein Urlaub im Hotel oder in einer Pension ist herrlich!
Am besten reserviert man im voraus ein Zimmer, denn die meisten Hotels sind in der Hochsaison ausgebucht.
Diese Familie fragt am Empfang nach einem Zimmer.

»Haben Sie noch ein Doppelzimmer mit Dusche oder Bad frei?«
»Es tut mir leid, fast alle Zimmer sind belegt. Wir haben nur noch ein Einzelzimmer.«
»Schade, aber wir können ja für nächstes Jahr gleich ein Zimmer reservieren.«

am Meer

die Möwe

die Welle

das Motorboot

der Bademeister

Wasserski fahren

windsurfen

Am Meer wird es dir bestimmt nie langweilig.
Du kannst baden, windsurfen, Wasserski fahren oder einfach im Wasser planschen.
Der Bademeister beobachtet mit seinem Fernglas die Schwimmer.
Er paßt auf, daß niemand ertrinkt.
Es ist gefährlich, weit auf das Meer hinaus zu schwimmen.
Die See hat heute hohe Wellen.
Das Motorboot zieht die Wasserski-Fahrerin.
Wenn du keine Lust hast, etwas zu unternehmen, legst du dich einfach nur an den Strand zum Sonnenbaden.

baden

planschen

das Meer

der Sand

der Strand

sonnenbaden

braun

der Sonnenschirm

Weil sie braun werden wollen, liegen viele Urlauber nur in der Sonne.
Doch bei großer Hitze hält man sich besser unter dem Sonnenschirm auf.
Im Schatten bekommst du keinen Sonnenbrand.

die Sandburg

der Eimer

die Schaufel

die Luftmatratze

der Seetang

der Krebs

die Muschel

Du kannst Muscheln suchen oder eine Sandburg bauen.
Zwischen Steinen und Seetang verstecken sich Krebse, die du beobachten kannst.

Ferien

skifahren

das Skigebiet

der Sessellift

der Skilehrer

Du kannst die Ferien auch in den Bergen verbringen. Richtige Bergsteiger haben zum Klettern Seil, Haken, Helm und Pickel dabei.
Für Bergwanderungen genügt festes Schuhwerk und ein Rucksack mit Proviant. Wenn das Wetter gut ist, hast du vom Gipfel eine wunderbare Aussicht in alle Richtungen.

der Gipfel

bergsteigen

die Aussicht

der Berg

klettern

steil

der Bergsteiger

der Rucksack

die Piste

der Schlitten

der Skistock

die Skistiefel

die Skier

Im Winter, wenn genug Schnee liegt, kann man Skifahren gehen.
Leider muß man am Sessellift oft in langen Schlangen anstehen.
Der Skilehrer bringt den Anfängern auf der Piste das Skifahren bei.
Er erklärt ihnen genau, wie sie beim Abfahren ihre Skistöcke halten müssen.
Manche fahren lieber Schlitten.

Auf diesem Campingplatz stehen nicht nur Zelte, sondern auch Wohnwagen.
Auf dem Kocher brodelt eine heiße Suppe.
Es ist nicht besonders schwierig, ein Zelt aufzubauen.
Zum Zelten brauchst du einen guten Schlafsack, damit du nachts nicht frierst.

zelten

der Campingplatz

der Wohnwagen

das Zelt

ein Zelt aufbauen

der Kocher

der Schlafsack

der See

das Kanu

angeln gehen

das Schilf

kentern

die Angelrute

treiben

das Fischerboot

der Köder

die Libelle

der Angelhaken

die Mücke

die Ente

der Kescher

einen Fisch fangen

der Frosch

Am schönsten ist es an einem See.
Wenn du eine Angelrute und einen Angelschein hast, kannst du angeln.
Verbeißt sich ein Fisch am Angelhaken, ziehst du die Schnur an und holst den Fang mit dem Kescher aus dem Wasser.
Vielleicht hast du Glück und fängst einen dicken Fisch.

Oder du beobachtest die anderen Tiere, die sich im See tummeln.
Im Schilf verstecken sich Frösche.
Libellen fliegen blitzschnell über das Wasser und fangen Mücken.
Das Kanu ist gekentert und treibt kieloben im Wasser.
Kanufahren will eben gelernt sein.

Auf dem Land

das Dorf

die Landschaft

friedlich

das Land

das Bauernhaus

wandern

Das Dorf liegt in einem Tal, umgeben von Hügeln.
Auf dem Land kann man gut wandern.
Auf schmalen Wegen kommt man an kleinen Bauernhäusern vorbei.
Das Landleben ist hier sehr friedlich.

der Weg

die Wiese

der Bach

das Kaninchen

Auf einem Weg kann man stundenlang umgeben von grünen Wiesen den Bach entlang wandern.
Wenn du Glück hast, kannst du Kaninchen auf der Wiese beobachten.
Ein Maulwurf wirft gerade Erde auf.
Auf dem Bach schwimmt eine Entenfamilie.
Die Vögel sitzen in den Bäumen.
Wenn du auf den Bäumen herumkletterst, zwitschern sie ganz ärgerlich.
Du kannst einen wunderschönen Strauß aus Wiesenblumen pflücken.

der Maulwurf

auf einen Baum klettern

die Wiesenblumen

Blumen pflücken

der Blumenstrauß

die Margerite

der Klatschmohn

der Wald

die Eiche

die Tanne

das Blatt

der Ast

die Eule

die Amsel

das Eichhörnchen

Kennst du die verschiedenen Baumarten und die Tiere, die im Wald leben?
Da sitzt eine Eule auf einem Ast.
Eine Amsel hat gerade einen Wurm gefunden.
Das Eichhörnchen sammelt Nüsse für den Winter.
Der Fuchs schleicht sich langsam an das Eichhörnchen heran.
Die Drossel fliegt zwischen den Bäumen hindurch.
Der Spatz macht einen Sturzflug.

fliegen

der Spatz

die Drossel

der Fuchs

Unten am Fluß leben auch viele Tiere.
Über die Brücke gelangt man auf die andere Talseite.
Zwischen zwei Zweigen hat eine Spinne ihr Netz gebaut.
Ihr ist eine Mücke ins Netz gegangen!
Am Wasser gibt es viele Fliegen und Stechmücken.
Die Trauerweiden am Ufer lassen ihre langen Äste ins Wasser hängen.

das Tal

der Hügel

die Brücke

der Hang

die Trauerweide

das Ufer

der Fluß

die Spinne

die Fliege

die Mücke

63

Auf dem Bauernhof

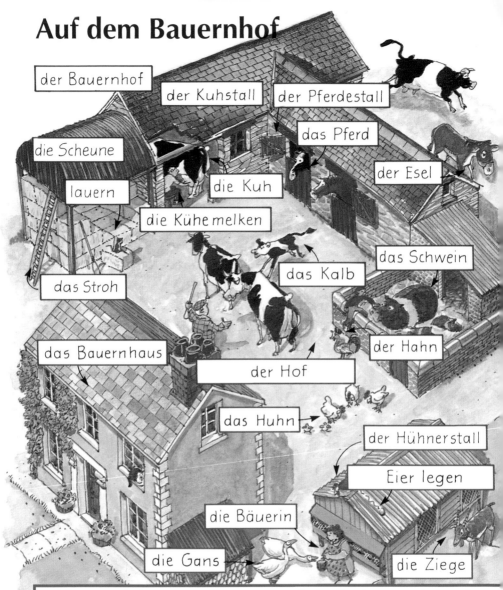

der Bauernhof

der Kuhstall

der Pferdestall

das Pferd

die Scheune

der Esel

lauern

die Kuh

die Kühe melken

das Schwein

das Kalb

das Stroh

der Hahn

das Bauernhaus

der Hof

das Huhn

der Hühnerstall

Eier legen

die Bäuerin

die Gans

die Ziege

Auf dem Bauernhof ist immer viel los.
Der Bauer und die Bäuerin müssen sich um
alle ihre Tiere kümmern.
Die Katze lauert auf Mäuse.
Oder wartet sie auf die frische Milch?
Der Bauer treibt die Kühe in den Stall.
Das Kalb kommt ängstlich zu seiner Mutter
gelaufen.
Eine Kuh hat Reißaus genommen und rennt
am Esel vorbei aus dem Stall.
Eine andere Kuh wird gerade gemolken.

Im Pferdestall stehen zwei Pferde und
warten auf ihren Hafer.
Die Bäuerin füttert gerade die Gänse.
Die Ziege wartet auch auf ihr Futter.
Eine Henne ist aus dem Hühnerstall aufs
Dach geflogen und hat dort ein Ei gelegt.
Im Hof picken die Hühner Körner auf.
Der Hahn kräht laut über den Hof.
Das Schwein hat geworfen. Ob es
wirklich nur zwei Junge bekommen hat?

die Weide

die Herde

das Schaf

das Lamm

das Gatter

der Schäferhund

der Bauer

Der Bauer hält eine große Schafherde auf der Weide.
Am Gatter schauen ihn einige Schafe und Lämmer neugierig an.
Ein Schaf auf der Wiese springt übermütig in die Höhe.
Der Schäferhund paßt auf die Schafe auf.

Es ist Weinlese.
Die Rebstöcke hängen voller Trauben.
Das Getreide wird auch eingebracht.
Zwei Männer stapeln Strohballen aufeinander.
Die neue Saat wird ausgesät.

der Weinberg

ernten

der Obstgarten

der Rebstock

der Apfelbaum

der Strohballen

pflücken

das Getreide

der Traktor

säen

pflügen

die Vogelscheuche

Die Apfelbäume im Obstgarten tragen dieses Jahr besonders viele Äpfel.
Der Bauer pflügt mit dem Traktor den Acker um.
Die Vogelscheuche soll die Vögel abschrecken.

Bei der Arbeit

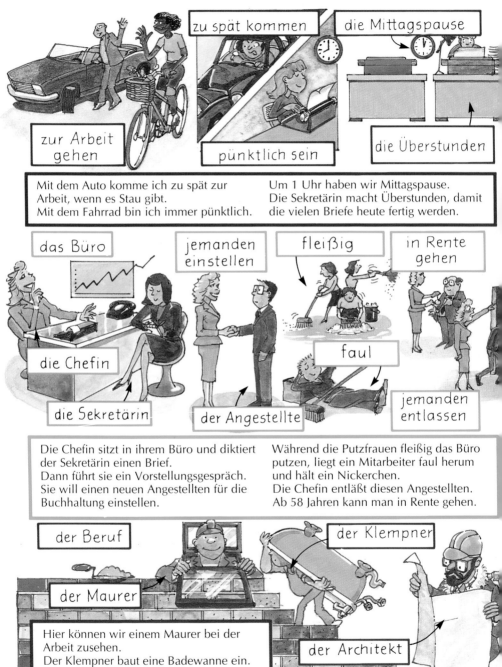

zu spät kommen

die Mittagspause

zur Arbeit gehen

pünktlich sein

die Überstunden

Mit dem Auto komme ich zu spät zur Arbeit, wenn es Stau gibt.
Mit dem Fahrrad bin ich immer pünktlich.

Um 1 Uhr haben wir Mittagspause.
Die Sekretärin macht Überstunden, damit die vielen Briefe heute fertig werden.

das Büro

jemanden einstellen

fleißig

in Rente gehen

die Chefin

die Sekretärin

der Angestellte

faul

jemanden entlassen

Die Chefin sitzt in ihrem Büro und diktiert der Sekretärin einen Brief.
Dann führt sie ein Vorstellungsgespräch.
Sie will einen neuen Angestellten für die Buchhaltung einstellen.

Während die Putzfrauen fleißig das Büro putzen, liegt ein Mitarbeiter faul herum und hält ein Nickerchen.
Die Chefin entläßt diesen Angestellten.
Ab 58 Jahren kann man in Rente gehen.

der Beruf

der Klempner

der Maurer

der Architekt

Hier können wir einem Maurer bei der Arbeit zusehen.
Der Klempner baut eine Badewanne ein.
Der Architekt hat das Haus entworfen.

Die Rechtsanwältin verteidigt den Angeklagten.
Der Richter muß Recht sprechen.
Die Schreiberin protokolliert alles.

die Schreiberin

der Angeklagte

der Richter

die Rechtsanwältin

der Pfarrer

die Ladenbesitzerin

Der Handelsvertreter besucht den Laden und bietet die Waren seiner Firma an.
Er möchte der Ladenbesitzerin etwas ganz Neues verkaufen.
Sie hört dem Vertreter geduldig zu.

der Fotograf

der Handelsvertreter

die Zeichnerin

der Soldat

der Friseur

Der Matrose fährt zur See.
Der Soldat ist auf Urlaub.
Die Zeichnerin entwirft das Design für einen neuen Kleiderstoff.
Der Friseur fönt die Haare des Fotomodells.

das Fotomodell

der Matrose

der Taxifahrer

der Müllmann

der Pilot

die Stewardess

Die Müllmänner holen den Müll ab.
Der Taxifahrer wartet auf Kunden.
Der Fernfahrer fährt weite Strecken.
Der Feuerwehrmann löscht den Brand.
Der Pilot steuert das Flugzeug.
Die Stewardess bedient die Fluggäste.

der Fernfahrer

der Feuerwehrmann

Krankheit und Gesundheit

sich krank fühlen

die Temperatur messen

das Thermometer

Fieber haben

die Ärztin

das Rezept

heilen

sich besser fühlen

die Tablette

gesund

Der Junge fühlt sich krank.
Die Ärztin mißt seine Temperatur.
Das Thermometer zeigt 39,5°C an.
Der Junge hat hohes Fieber.
Die Ärztin schreibt ein Rezept aus.
Damit geht die Mutter zur Apotheke.

Mit einem Glas Wasser kann das Kind die Tabletten leichter schlucken.
Mit der Arznei heilt die Krankheit schneller.
Der Junge fühlt sich schon bald besser.
Nach einigen Tagen ist er wieder gesund.

erkältet sein

niesen

in Ohnmacht fallen

Magenschmerzen haben

sich übergeben

Kopfschmerzen haben

Der Mann ist fürchterlich erkältet.
Seine Frau niest inzwischen auch schon.
Der Junge ist plötzlich in Ohnmacht gefallen - er ekelt sich vor Spinnen!
Allen drei Jungen geht es heute morgen schlecht: Einer hat Kopfschmerzen, der andere klagt über Magenschmerzen, und der dritte muß sich übergeben.

der Zahnarzt

Zahnschmerzen haben

sich einen Zahn plombieren lassen

die Spritze

Der Junge ist beim Zahnarzt.
Er läßt sich einen Zahn plombieren.
Die Assistentin hält die Spritze bereit.
Im Wartezimmer sitzen noch zwei andere Patienten, die Zahnschmerzen haben.

das Krankenhaus

die Verbrennung

sich die Hand verstauchen

die Unfall-Ambulanz

das blaue Auge

sich das Bein brechen

die Wunde

das Heftpflaster

der Verband

Verletzte werden im Krankenhaus auf der Unfall-Ambulanz eingeliefert.
Ein Fußballer hat sich beim Spiel das Bein gebrochen.
Die zwei Jungen haben sich geprügelt. Jetzt hat einer ein blaues Auge.

Der dicke Mann hat sich beim Kochen eine Verbrennung am Finger zugezogen.
Der Mann auf der Bank hat sich beim Volleyballspielen die Hand verstaucht.
Da ist noch ein seltsamer Patient - wie kommt denn der Topf auf seinen Kopf?

der Krankenwagen

den Puls messen

der Verletzte

die Trage

Der Krankenwagen fährt den Verletzten mit Blaulicht ins Krankenhaus.
Die Sanitäter bringen ihn auf einer Trage zur Notfallstation.
Die Krankenschwester mißt den Puls.

der Operationssaal

operieren

die Krankenschwester

der Chirurg

Im Operationssaal operiert der Chirurg einen Herzkranken.
Der Patient bekommt eine Vollnarkose.
Die Krankenschwestern halten die Instrumente bereit.

Schule und Ausbildung

der Kindergarten

die Grundschule

der Rektor

das Gymnasium

die Universität

die Direktorin

Mutter bringt ihren Sohn zum Kindergarten.
Mit 6 oder 7 Jahren kommen alle Kinder in
die Grundschule.
Der Rektor begrüßt die neuen Schüler.

Das Gymnasium beendet man mit dem
Abitur.
Damit erwirbt man die Hochschulreife
und kann an der Universität studieren.

die Landkarte

das Klassenzimmer

der Unterricht

der Lehrer

hängen

unterrichten

der Schüler

die Tafel

lernen

einfach

schwierig

die Kreide

eine Frage stellen

lesen

schreiben

Die Schüler sitzen aufmerksam in ihrem
Klassenzimmer; sie haben Unterricht.
An der Wand hängt eine Landkarte, auf
der man die Kontinente sehen kann.
Der Lehrer unterrichtet Erdkunde.
Er erklärt gerade ein schwieriges Thema.
Für einige Schüler ist es schwer, dem
Lehrer zu folgen.

Für andere ist es einfach; sie lernen
schnell.
Ein Schüler meldet sich und stellt dem
Lehrer eine Frage.
Der Lehrer soll ein kompliziertes Wort
an die Tafel schreiben.
Eine Schülerin liest in einem Buch.
Ein Schüler schreibt einen Aufsatz.

die Schultasche

Meine Schultasche ist heute sehr schwer.
Ich habe für den Unterricht alles mitge-
nommen: meine Hefte und alle meine
Schreibsachen.
Mein Etui ist so vollgepackt, daß die Stifte
herausgefallen sind.
Der Radiergummi ist noch ganz neu.
Den Bleistiftspitzer habe ich vergessen.

das Heft

das Etui

der Radiergummi

der Füller

der Kugelschreiber

das Lineal

der Bleistift

im Kindergarten

Den Kleinen macht es Spaß, in den
Kindergarten zu gehen.
Sie spielen zusammen, sehen sich
Bilderbücher an oder malen.
Und es gibt so viel Spielzeug!

das Spielzeug

der Farbstift

spielen

das Bilderbuch

der Pausenhof

die Klingel

die Garderobe

die Pause

Es klingelt zur Pause.
Die Schüler rennen auf den Pausenhof.
Sie spielen in der Pause Fußball oder
Völkerball, einige sogar Tennis.

71

Schule und Ausbildung

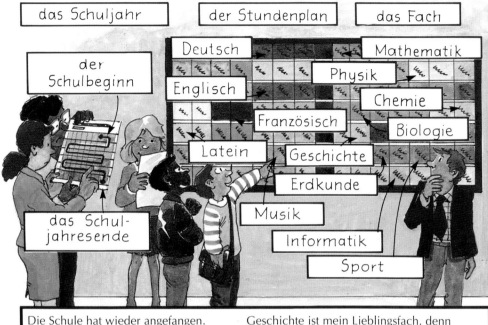

das Schuljahr

der Stundenplan

das Fach

der Schulbeginn

das Schuljahresende

Deutsch

Mathematik

Physik

Englisch

Chemie

Französisch

Biologie

Latein

Geschichte

Erdkunde

Musik

Informatik

Sport

Die Schule hat wieder angefangen.
An der Wand hängt der Stundenplan mit all den Fächern, in denen die Schüler in diesem Schuljahr Unterricht haben.
In Deutsch bin ich am besten.
In Mathematik habe ich leider eine 5.
In Musik bin ich dafür sehr gut.
Ich bin begabt für Sprachen.
Deutsch, Englisch und Französisch sind meine Lieblingssprachen.

Geschichte ist mein Lieblingsfach, denn historische Entwicklungen interessieren mich sehr.
Erdkunde und Biologie machen vielen Schülern mehr Spaß als mir.
Die naturwissenschaftlichen Fächer Chemie und Physik sind anstrengend.
Seit neuestem wird Informatik als Wahlfach angeboten.
Wir haben zwei Stunden Sport pro Woche.

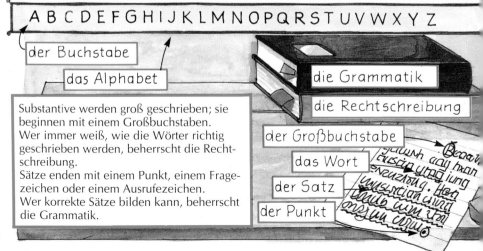

A B C D E F G H I J K L M N O P Q R S T U V W X Y Z

der Buchstabe

das Alphabet

die Grammatik

die Rechtschreibung

der Großbuchstabe

das Wort

der Satz

der Punkt

Substantive werden groß geschrieben; sie beginnen mit einem Großbuchstaben.
Wer immer weiß, wie die Wörter richtig geschrieben werden, beherrscht die Rechtschreibung.
Sätze enden mit einem Punkt, einem Fragezeichen oder einem Ausrufezeichen.
Wer korrekte Sätze bilden kann, beherrscht die Grammatik.

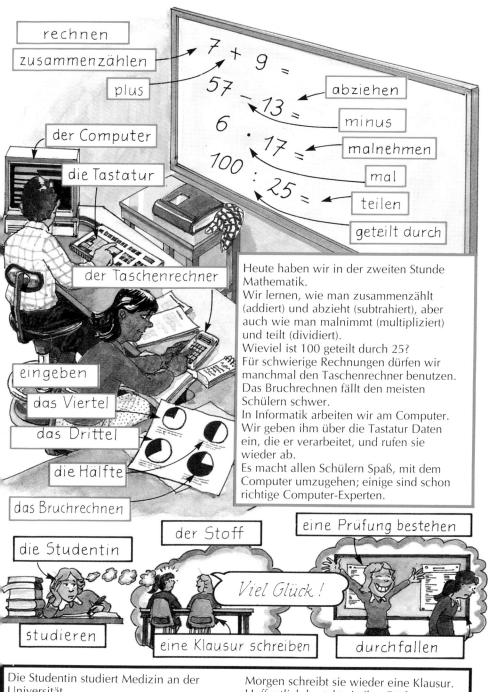

rechnen

zusammenzählen

plus

$7 + 9 =$

$57 - 13 =$

abziehen

minus

$6 \cdot 17 =$

malnehmen

mal

$100 : 25 =$

teilen

geteilt durch

der Computer

die Tastatur

der Taschenrechner

eingeben

das Viertel

das Drittel

die Hälfte

das Bruchrechnen

Heute haben wir in der zweiten Stunde Mathematik.
Wir lernen, wie man zusammenzählt (addiert) und abzieht (subtrahiert), aber auch wie man malnimmt (multipliziert) und teilt (dividiert).
Wieviel ist 100 geteilt durch 25?
Für schwierige Rechnungen dürfen wir manchmal den Taschenrechner benutzen.
Das Bruchrechnen fällt den meisten Schülern schwer.
In Informatik arbeiten wir am Computer. Wir geben ihm über die Tastatur Daten ein, die er verarbeitet, und rufen sie wieder ab.
Es macht allen Schülern Spaß, mit dem Computer umzugehen; einige sind schon richtige Computer-Experten.

der Stoff

eine Prüfung bestehen

die Studentin

Viel Glück !

studieren

eine Klausur schreiben

durchfallen

Die Studentin studiert Medizin an der Universität.
Für viele Prüfungen muß sie einen großen Stoff an Wissen beherrschen.

Morgen schreibt sie wieder eine Klausur.
Hoffentlich besteht sie ihre Prüfung.
Sie ist schon einmal durchgefallen.
Viel Glück!

Formen und Maße

Der Mann besucht eine Ausstellung moderner Kunst.
Ratlos steht er vor den Kunstwerken.
Er weiß nicht, was all die Kreise, Quadrate, Dreiecke, Kegel und Rechtecke bedeuten sollen.

riesig

groß

klein

winzig

die Form

der Kreis

das Quadrat

das Dreieck

der Kegel

das Rechteck

Dieser Riese hier ist riesengroß.
Dagegen ist der Mann auf seiner Hand klein, und die Maus auf seinem Knie ist so winzig, daß man sie kaum sehen kann.

die Höhe

messen

der Meter

der Zentimeter

Wir haben ein Loch in der Wand entdeckt.
Um zu wissen, wie groß es ist, messen wir es aus.
Dazu brauchen wir ein Metermaß, auf dem man Meter und Zentimeter ablesen kann.
Wie lang und wie breit ist die Tapete?

die Länge

die Breite

der Inhalt

das Gewicht

der Liter

ein halber Liter

das Kilo

das Pfund

Der Inhalt des Meßbechers war ein Liter Milch; jetzt ist nur noch ein halber Liter übrig.

Die Mäuse wollen das Gewicht ihres Käsestückchens wissen: Es wiegt nicht ein Kilo, es ist nur ein Pfund schwer.

Zahlen

hundert — 100
tausend — 1000
eine Million — 1 000 000

neunzig 90
achtzig 80
siebzig 70
sechzig 60
fünfzig 50
vierzig 40
dreiunddreißig 33
zweiunddreißig 32
einunddreißig 31
dreißig 30
fünfundzwanzig 25
vierundzwanzig 24
dreiundzwanzig 23
zweiundzwanzig 22
einundzwanzig 21
zwanzig 20
neunzehn 19
achtzehn 18
siebzehn 17
sechzehn 16
fünfzehn 15
vierzehn 14
dreizehn 13
zwölf 12
elf 11
zehn 10
neun 9
acht 8
sieben 7
sechs 6
fünf 5
vier 4
drei 3
zwei 2
eins 1
null 0

Sport

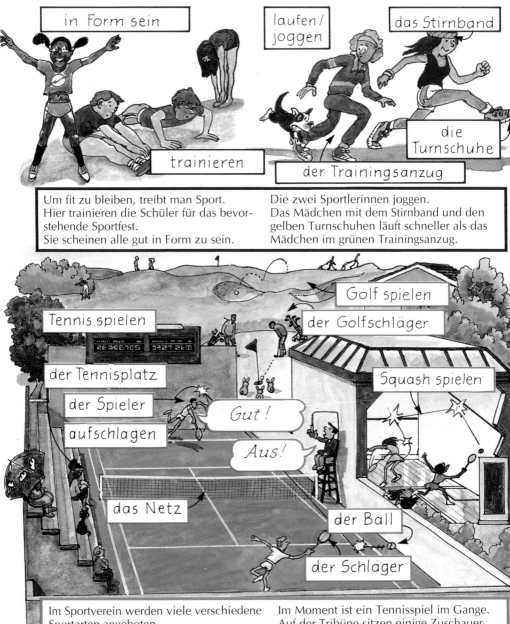

in Form sein

laufen/ joggen

das Stirnband

trainieren

der Trainingsanzug

die Turnschuhe

Um fit zu bleiben, treibt man Sport.
Hier trainieren die Schüler für das bevor-
stehende Sportfest.
Sie scheinen alle gut in Form zu sein.

Die zwei Sportlerinnen joggen.
Das Mädchen mit dem Stirnband und den
gelben Turnschuhen läuft schneller als das
Mädchen im grünen Trainingsanzug.

Golf spielen

der Golfschläger

Tennis spielen

der Tennisplatz

Squash spielen

der Spieler

aufschlagen

Gut !

Aus !

das Netz

der Ball

der Schläger

Im Sportverein werden viele verschiedene
Sportarten angeboten.
In der Halle kann man einen Court mieten
und Squash spielen.
Im Freien gibt es eine Tennisanlage und
einen Golfplatz.

Im Moment ist ein Tennisspiel im Gange.
Auf der Tribüne sitzen einige Zuschauer
und verfolgen das Spiel.
Ein Spieler hat gerade aufgeschlagen.
Der Ball fliegt über das Netz, doch er geht
ins Aus.

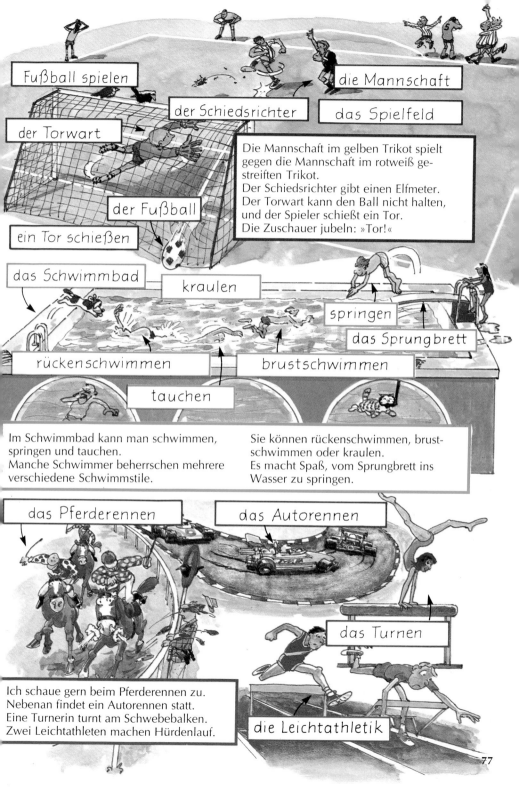

Fußball spielen

die Mannschaft

der Schiedsrichter

das Spielfeld

der Torwart

der Fußball

ein Tor schießen

Die Mannschaft im gelben Trikot spielt gegen die Mannschaft im rotweiß gestreiften Trikot.
Der Schiedsrichter gibt einen Elfmeter.
Der Torwart kann den Ball nicht halten, und der Spieler schießt ein Tor.
Die Zuschauer jubeln: »Tor!«

das Schwimmbad

kraulen

springen

das Sprungbrett

rückenschwimmen

brustschwimmen

tauchen

Im Schwimmbad kann man schwimmen, springen und tauchen.
Manche Schwimmer beherrschen mehrere verschiedene Schwimmstile.

Sie können rückenschwimmen, brustschwimmen oder kraulen.
Es macht Spaß, vom Sprungbrett ins Wasser zu springen.

das Pferderennen

das Autorennen

das Turnen

die Leichtathletik

Ich schaue gern beim Pferderennen zu.
Nebenan findet ein Autorennen statt.
Eine Turnerin turnt am Schwebebalken.
Zwei Leichtathleten machen Hürdenlauf.

77

Feste und Feiertage

Ich feiere heute meinen Geburtstag.
Am Abend gebe ich eine Party, zu der ich meine Freunde eingeladen habe.
Das Zimmer ist mit Luftballons und Girlanden geschmückt.
Alle meine Freunde sind gekommen, um mir zu gratulieren: »Herzlichen Glückwunsch zum Geburtstag!«
Ich habe allerhand Geschenke bekommen; dazu eine Geburtstagstorte mit Kerzen sowie viele Glückwunschkarten.
Ich habe noch gar nicht alle Geschenke ausgepackt - die Verpackungen sind so schön!

der Geburtstag

die Party

der Luftballon

Herzlichen Glückwunsch zum Geburtstag!

gratulieren

Spaß haben

die Torte

die Kerze

das Geschenk

die Verpackung

die Glückwunschkarte

der Heilige Abend

Ostern

Weihnachten

der erste Weihnachtstag

der Weihnachtsbaum

Ostern ist das Fest der Auferstehung von Jesus Christus; an Weihnachten feiert man Christi Geburt.
An Heiligen Abend versammelt sich die ganze Familie um den Weihnachtsbaum.

sich verloben

die Hochzeit

heiraten

der Bräutigam

die Braut

gerührt

der Gast

der Blumenstrauß

Zwei junge Leute verloben sich.
Die Freunde stoßen auf die Verlobten an.
Bald findet die Hochzeit statt.
Die Gäste gratulieren dem Brautpaar.
Viele sind gerührt und müssen vor Freude
weinen.
Die Braut im weißen Kleid hält einen
Blumenstrauß im Arm und lächelt glücklich.
Nach der Hochzeit verreisen die Jungver-
mählten in die Flitterwochen.

glücklich sein

die Flitterwochen

Frohe Weihnachten!

das Weihnachtslied

Vater wünscht allen »Frohe Weihnachten!«.
Mutter teilt die Geschenke aus.
Die Tochter hat einen Teddybär geschenkt
bekommen und bedankt sich dafür.
Der Sohn erhält ein großes Päckchen.
Ein Kinderchor zieht von Haus zu Haus
und singt Weihnachtslieder.

schenken

bekommen

Danke schön!

sich bedanken

Silvester

der Neujahrstag

feiern

Die Familie feiert zusammen Silvester.
Es ist kurz vor Mitternacht.
In fünf Minuten fängt das neue Jahr an.
Dann gibt es ein riesiges Feuerwerk.
»Prosit Neujahr! Glückliches Neues Jahr!«

Glückliches
Neues Jahr!

Kalender- und Zeitbegriffe

der Kalender

Januar
Februar
März
April
Mai
Juni
Juli
August
September
Oktober
November
Dezember

der Monat

das Jahr

Montag
Dienstag
Mittwoch
Donnerstag
Freitag
Samstag
Sonntag

der Tag

die Woche

das Wochenende

Das Jahr hat zwölf Monate.
Dezember, Januar und Februar nennt man auch die Wintermonate.
Im Monat März fängt der Frühling an. In dieser Jahreszeit beginnt die Natur wieder zu erwachen.
Im April ist das Wetter oft unbeständig. Heftige Regenschauer wechseln sich ab mit Sonnenschein.
Der 1. Mai ist ein Feiertag.
Im Juni, Juli oder August sind Sommerferien; in diesen Monaten fahren die meisten Leute in Urlaub.
Im September wird es oft schon kühler. Der Oktober ist der zehnte Monat des Jahres.
Ende November schneit es manchmal schon.
Am 25. Dezember ist Weihnachten.
365 Tage machen ein Jahr aus.
Alle vier Jahr gibt es ein Schaltjahr mit 366 Tagen.
Die Woche besteht aus sieben Tagen.
Am Wochenende brauchen die meisten Leute nicht zu arbeiten.

Der Junge sieht das Datum in seinem Kalender nach.
Heute ist Dienstag, der 2. Juni.
Morgen ist der 3. Juni.
Übermorgen ist der 4. Juni.
Und in drei Tagen ist der 5. Juni.
Er überlegt, was er in der letzten Woche gemacht hat, und stellt einen Plan für die nächste Woche auf.

der Kalender

das Datum

Dienstag, der zweite Juni

der erste

der zweite

der dritte

der vierte

der fünfte

1 gestern

gestern früh

gestern abend

4 übermorgen

am nächsten Montag

die kommende Woche

2 heute

heute früh

heute abend

5 der folgende Tag

Vorgestern und gestern hat er nichts Besonderes unternommen.
Gestern früh ist er schon um 7 Uhr aufgestanden und hat Brötchen geholt.
Gestern abend hat er ferngesehen und ist erst um 23 Uhr ins Bett gegangen.
Heute früh ist er um 8 Uhr mit dem Bus in die Schule gefahren.
Heute abend möchte er vor dem Einschlafen ein spannendes Buch lesen.
Morgen früh will er etwas länger im Bett liegenbleiben und ausschlafen.
Morgen abend besucht er einen Freund.
Übermorgen schreibt er eine Mathearbeit.
Am nächsten Montag spielt er Fußball.
Kommende Woche fangen die Ferien an.

3 morgen

morgen früh

vorgestern

morgen abend

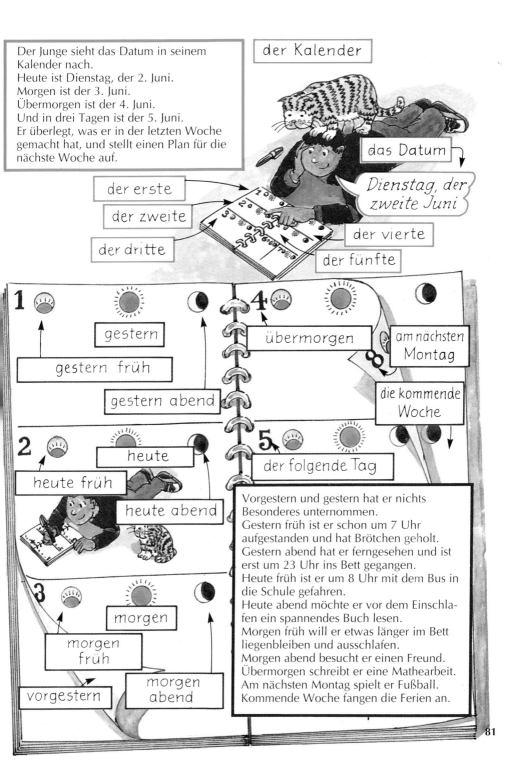

81

Uhrzeit

das Morgengrauen

der Morgen

der Tag

der Sonnenaufgang

die Sonne

der Himmel

Es wird hell.

Es ist hell.

Frühmorgens geht die Sonne auf.
Der Tag bricht an; es wird hell.
Vom Fenster aus kann man den Sonnen-
aufgang beobachten.
Es ist herrliche Luft bei Tagesanbruch!

Jetzt ist es Tag.
An diesem wunderschönen Morgen scheint
die Sonne.
Der Himmel ist blau.
Mittags steht die Sonne hoch im Himmel.

der Nachmittag

der Abend

die Nacht

der Sonnenuntergang

die Sterne

der Mond

Es wird dunkel.

Es ist dunkel.

Am Nachmittag ist Zeit für einen Spazier-
gang mit der Mutter.
Vor Sonnenuntergang kehren sie heim.
Die Abenddämmerung bricht an.
Der Tag geht zur Neige; es wird dunkel.

Wenn es Nacht wird, geht das Mädchen
schlafen.
Spät am Abend geht der Mond am Himmel
auf, und man kann Millionen von Sternen
funkeln sehen.

die Minute

die Stunde

Wieviel Uhr ist es?

die Sekunde

Es ist ein Uhr.

Es ist drei Uhr.

Mittag

Mitternacht

9:45 — viertel vor zehn

10:05 — fünf nach zehn

10:15 — viertel nach zehn

10:30 — halb elf

acht Uhr morgens

acht Uhr abends

Meine Uhr ist stehengeblieben: »Entschuldigen Sie bitte, wieviel Uhr ist es jetzt?«
»Es ist genau ein Uhr.«
Meine Uhr geht nie richtig, entweder geht sie vor oder nach.
Man kann sich nicht auf sie verlassen.
Deshalb bringe ich sie zum Uhrmacher.

Es ist 20 Uhr = Es ist 8 Uhr abends.
Es ist 24 Uhr = Es ist Mitternacht.
Es ist 12 Uhr = Es ist Mittag.
Es ist dreiviertel 8 = Es ist eine Viertelstunde vor 8 Uhr.
Eine Stunde hat 60 Minuten.
60 Sekunden sind eine Minute.

die Zeit

die Zukunft

die Vergangenheit

in der Zukunft

die Gegenwart

damals

heutzutage

Mit dieser Zeitmaschine kann man in die Vergangenheit und in die Zukunft sehen. Vor Millionen von Jahren lebten Dinosaurier auf der Erde.

In der Zukunft wird der Mensch vielleicht mit einem Raumschiff auf den Mars fliegen können.
Heutzutage sind wir noch nicht soweit.

Wetter und Jahreszeiten

Die vier Jahreszeiten heißen Frühling, Sommer, Herbst und Winter. Jede Jahreszeit hat ihre besonderen Schönheiten und ihre weniger angenehmen Seiten.

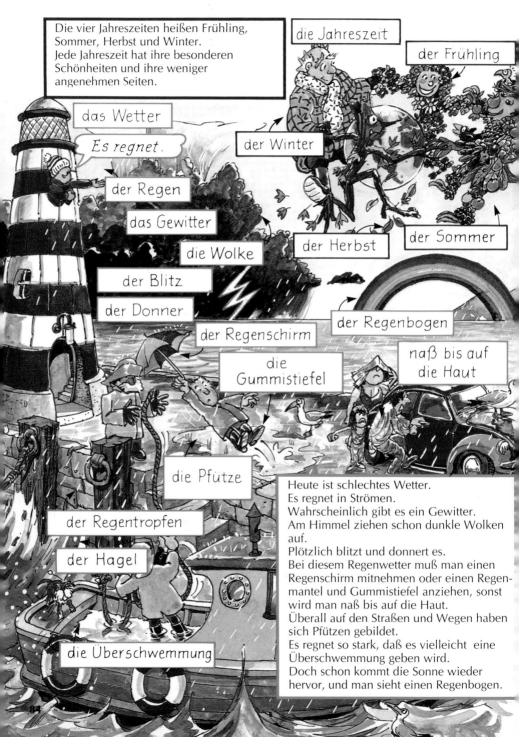

die Jahreszeit

der Frühling

das Wetter

Es regnet.

der Winter

der Regen

das Gewitter

die Wolke

der Blitz

der Donner

der Herbst

der Sommer

der Regenbogen

der Regenschirm

die Gummistiefel

naß bis auf die Haut

die Pfütze

der Regentropfen

der Hagel

die Überschwemmung

Heute ist schlechtes Wetter.
Es regnet in Strömen.
Wahrscheinlich gibt es ein Gewitter.
Am Himmel ziehen schon dunkle Wolken auf.
Plötzlich blitzt und donnert es.
Bei diesem Regenwetter muß man einen Regenschirm mitnehmen oder einen Regenmantel und Gummistiefel anziehen, sonst wird man naß bis auf die Haut.
Überall auf den Straßen und Wegen haben sich Pfützen gebildet.
Es regnet so stark, daß es vielleicht eine Überschwemmung geben wird.
Doch schon kommt die Sonne wieder hervor, und man sieht einen Regenbogen.

Die Sonne scheint, und es ist strahlend blauer Himmel.
Wir sitzen auf unseren Klappstühlen und sonnen uns.
Mir ist es so heiß, daß ich schwitze.

das Klima

der Wetterbericht

Es ist schön.

Die Sonne scheint.

schwitzen

Wie ist das Wetter?

Mir ist heiß.

Während es draußen blitzt und donnert, kommt im Fernsehen der Wetterbericht.
»Wie wird das Wetter morgen?«
»Nach der Wettervorhersage wird es schön.«

der Wind

Es ist windig.

Es ist so windig, daß man kaum gegen den Sturm vorwärts kommt.
Der Nebel ist so dicht, daß man die Hand nicht vor den Augen sehen kann.

Es ist kalt.

der Schnee

der Nebel

Es ist neblig.

halb erfroren sein

der Frost

der Schneemann

der Eiszapfen

Es schneit.

Heute nacht hat es Frost gegeben.
Es ist eiskalt draußen, und wir sind halb erfroren.
Es tut gut, sich am Feuer zu wärmen!
Wenn genug Schnee liegt, bauen wir einen Schneemann und gehen rodeln.
Doch der Schnee bleibt nie lange liegen; er taut, sobald die Sonne scheint.

tauen

Erde und Weltraum

die Welt

die Erde

der Norden

der Atlantik

der Pazifik

der Westen

der Osten

die Wüste

der Äquator

der Dschungel

der Süden

der Südpol

Wir werfen einen Blick auf die Erde; sie sieht aus wie eine Kugel.
An den Polen ist sie etwas abgeflacht.
Die vier Himmelsrichtungen heißen Norden, Osten, Süden und Westen.
Der Äquator ist der größte Breitenkreis.

Hier schauen wir auf Afrika, Europa, Asien und den Indischen Ozean.
In den heißen Wüsten wie in den eisigen Polargebieten gibt es nur wenig Leben.
Die Dschungel der tropischen Regenwälder beherbergen eine große Artenvielfalt.

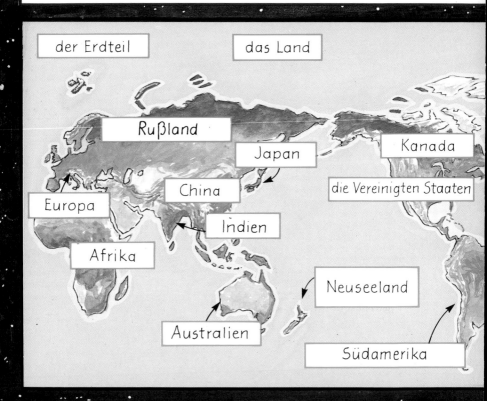

der Erdteil

das Land

Rußland

Japan

Kanada

China

die Vereinigten Staaten

Europa

Indien

Afrika

Neuseeland

Australien

Südamerika

das Weltall

das Sonnensystem

der Stern

der Planet

das Raumschiff

die Milchstraße

Das Weltall ist unendlich.
Unser Sonnensystem hat neun Planeten.
Mit dem Fernrohr kann man die Sterne
am Himmel beobachten.
Von der Milchstraße ist am Himmel ein
breiter, heller Streifen sichtbar; sie
besteht aus vielen Millionen Sternen.

das Fernrohr

Es gibt fünf Erdteile: Afrika, Amerika,
Asien, Australien und Europa.
Rußland erstreckt sich über Osteuropa
und Nordasien.
Afrika wird auch der Schwarze Kontinent
genannt.
Japan liegt auf mehreren Inseln vor der
chinesischen Küste.
Indien gehört zu den größten Entwick-
lungsländern.
Australien ist der kleinste Erdteil.
In Nordamerika gibt es nur zwei Staaten:
Kanada und die USA.

Schweden, Finnland, Norwegen und
Dänemark zusammen sind Skandinavien.
Großbritannien umfaßt England, Schott-
land, Wales und Nordirland.
Die Niederlande nennt man auch Holland.
Deutschland besteht aus 16 Bundeslän-
dern. Das größte Bundesland ist Bayern,
das kleinste Bremen. In Deutschland, in
Österreich, in der Schweiz und in Südtirol
(Italien) spricht man deutsch.

Skandinavien

Großbritannien

Belgien / Holland

Frankreich

Bundesrepublik
Deutschland

die Schweiz

Österreich

Italien

Spanien

Staat und Gesellschaft

der Präsident

das Parlament

die Abgeordneten

der Bundeskanzler

die Regierung

Der Bundespräsident hält eine Rede.
Die Abgeordneten hören ihm zu.
Der Bundeskanzler ist Chef der Bundes-
regierung in Bonn.
Die Regierungschefs der deutschen
Bundesländer heißen Ministerpräsidenten.

die Partei

die Vorsitzende

Die Parteien stellen Kandidaten zur Wahl
auf.
Die Vorsitzende ist bei den Mitgliedern
der Partei sehr beliebt.

beliebt

das Mitglied

die Wahl

wählen

links

liberal

konservativ

gewinnen

verlieren

Mitglied werden

Mitglied sein

In einem demokratischen Rechtsstaat
geht alle Staatsgewalt vom Volk aus.
Es werden Wahlen abgehalten.
Jeder Bürger ab 18 Jahren ist wahl-
berechtigt.

Die demokratischen Parteien haben verschiedene Ansichten, verpflichten sich aber
alle auf das Grundgesetz.
Niemand weiß vorher genau, welche Partei
die Wahl gewinnen oder verlieren wird.

Presse, Fernsehen und Rundfunk sind die einflußreichsten Massenmedien.
Hier wird gerade ein Politiker vor der Fernseh-Kamera interviewt.
Der Reporter stellt ihm Fragen, auf die er antworten soll.
Viele Nachrichten sind interessant und wichtig, andere sind eher Sensationen als Informationen.
Für den Bürger ist es oft schwer zu erkennen, was wahr und was falsch ist.

die Massenmedien

interviewen

wichtig

interessant

die Zeitung

die Nachricht

die Schlagzeile

der Artikel

wahr

falsch

Meiner Meinung nach...

...andal!

die Politik

die Gesellschaft

demokratisch

der Lohn

die Steuern

die Gewerkschaft

die Arbeitslosigkeit

Die Bundesrepublik Deutschland, die Schweizerische Eidgenossenschaft und die Republik Österreich sind demokratische Gesellschaften.

Jedem Arbeitnehmer wird ein Teil seines Lohns als Steuern abgezogen.
Die Gewerkschaft setzt sich für die Interessen der Arbeitnehmer ein.

89

Eigenschaften qualities

laut

ruhig

gehorsam

gleich — Same equal

unartig

Der Mann hält sich die Ohren zu.
Die Musik ist ihm zu laut.
Der eine Hund verhält sich gehorsam, der andere benimmt sich unartig.
Die zwei blonden Frauen tragen das gleiche Kleid.
Sie stehen auf demselben blauen Boden.

derselbe

zusammen

allein

beschäftigt

nützlich

ängstlich

Der Zeichner ist sehr beschäftigt.
Das Taschenmesser ist nützlich.
Wer viel allein ist, freut sich, wenn er mit jemandem zusammen sein kann.
Der Junge ist unternehmungslustig; er hat keine Lust, gelangweilt zu Hause herumzusitzen.

mutig

unvorsichtig

ärgerlich

sorgfältig

unternehmungslustig — activ

zufrieden mit

gelangweilt

Die Mutter ist ärgerlich über ihren Sohn und schimpft ihn aus.
Doch dann vertragen sie sich wieder.
Die Mutter ist zufrieden mit ihrem Sohn.
Mit Farbe und Pinsel sollte man sorgfältig umgehen; wenn man unvorsichtig arbeitet, gibt es Flecken.

voll

leer

lang

kurz

hart

weich

Die Frau holt sich einen Kaffee aus dem Automaten; morgens ist er noch voll.
Zwei Stunden später funktioniert er nicht mehr; er ist leer.
Auf einer harten Matratze schläft es sich besser als auf einer weichen.

neu

alt

tief

offen

geschlossen

Der grüne Sportwagen ist ganz neu; der Oldtimer daneben ist ziemlich alt.
Die eine Tür ist offen, die andere geschlossen.
Im Schwimmbad ist das Wasserbecken vorne flach und hinten tief.

flach

eng

modisch

altmodisch

der letzte

weit

Das Hemd spannt, denn es ist zu eng.
Eine weite Hose ist sehr bequem.
Er ist immer modisch gekleidet.
Kleider aus den 60er Jahren sind nicht mehr modern; sie sind altmodisch.

aus Plastik

aus Holz

Die Enten bestehen aus verschiedenen Materialien.
Die rosa Ente ist aus Plastik, die lilafarbene aus Metall; eine ist aus Silber, eine andere aus Gold.
Die Ente aus Holz schwimmt am besten.

aus Gold

aus Metall

aus Silber

Farben

die Farbe

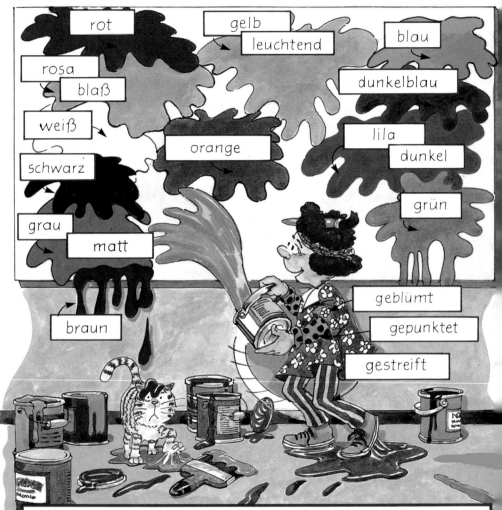

rot

gelb

leuchtend

blau

rosa

blaß

dunkelblau

weiß

orange

lila

dunkel

schwarz

grau

matt

grün

braun

geblümt

gepunktet

gestreift

Die junge Malerin liebt es bunt.
Sie hat eine grüne gepunktete Bluse und eine gestreifte Hose an.
Darüber trägt sie einen geblümten Kittel.
An den Füßen hat sie giftgrüne Turnschuhe.
Sie malt gerne abstrakt und benutzt für ihre Bilder fast alle Farben, die es gibt.
Wie findest du ihr Gemälde?
Meistens mischt sie die Farben selber:

Aus gelb und blau zum Beispiel ergibt sich grün.
Ojeh, die Katze ist in einen Farbfleck getreten!
Die Malerin benutzt nur wenig schwarz, grau und braun.
Diese matten Farben sind ihr zu langweilig.
Sie mag viel lieber leuchtende Farben wie gelb, orange und rot.

In, auf, unter ...

Die Maus hockt in einem Keksglas.
Satt setzt sie sich auf das Glas.
Sie versteckt sich unter dem Schuh.
Dann springt sie über den Schuh.
Sie kriecht in den Käse hinein und auf
der anderen Seite wieder heraus.
Sie setzt sich neben die Katze und
sogar zwischen ihre Pfoten.
Sie stützt sich an die Fußleiste und
wagt sich weg von ihrem Loch.
Die Katze lauert vor dem Eingang.
Doch die Maus stellt sich hinter sie.

Die Maus lehnt sich gegen die Wand
und läuft dann durch das Gras, bis sie
mitten zwischen ihren Freunden steht.
Alle laufen auf die Katze zu.
Doch plötzlich bekommen sie Angst
und laufen vor ihr weg.
Eine Maus läuft die Treppe hinauf und
wieder hinunter.
Zwei Mäuse stehen sich Nase an Nase
gegenüber.
Geht die Maus heute mit oder ohne
Hut aus dem Haus?

Tätigkeiten

flüstern

rufen

suchen

lehnen an

warten auf

halten

Er flüstert der Freundin etwas ins Ohr.
Ein Mädchen ruft seinen Hund.
Das andere Mädchen sucht seine entlaufene Katze.
Der Verehrer lehnt an der Wand, hält einen Blumenstrauß in der Hand und wartet seit Stunden auf seine Freundin.

tragen

aufheben

fallen lassen

hinstellen

Der Gepäckträger trägt viele Pakete; er läßt sie fallen und hebt sie wieder auf.

Seine Kollegen stellen die schwere Kiste vor die Tür hin.

berühren

verschließen

öffnen

gießen

füllen

Wenn man den Kasten berührt, öffnet er sich; mach ihn schnell wieder zu!
Der Junge gießt Limonade in eine Flasche.
Er füllt die Flasche bis an den Rand.
Dann verschließt er sie mit einem Korken und schüttelt sie.
Zum Schluß leert er sie wieder aus.

schütteln

ausleeren

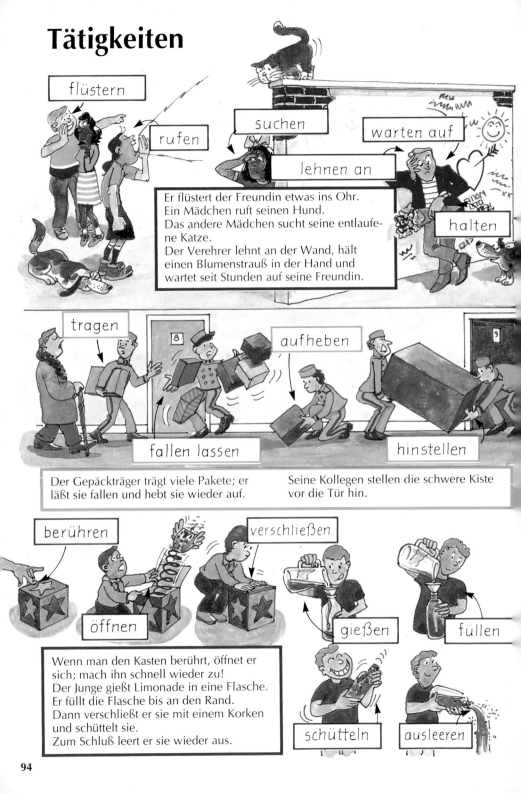

94

zerreißen

werfen

auffangen

Der Junge zerreißt sich seine Hose und muß sie flicken.
Das Mädchen wirft ihrem Spielpartner den Ball zu, und er fängt ihn auf.
Der Fußball fliegt auf den Tisch, wirft den Krug um und zerbricht den Teller.

flicken

umwerfen

zerbrechen

stehlen

ausrutschen

ziehen

drücken

davonlaufen

verfolgen

sich verstecken

Der Mann zieht an der Tür, aber er kann sie nicht öffnen.
Sie geht einfach nicht auf.
Aha! So ist das! Man muß drücken!

Der Obstdieb läuft davon und rutscht auf einer Bananenschale aus.
Obwohl zwei Männer ihn verfolgen, entkommt er und versteckt sich.

95

© 1990 für die deutsche Textfassung:
arsEdition, München
Diese deutschsprachige Ausgabe wurde auf der
Grundlage des »Beginner's German Dictionary«
neu erarbeitet
© 1988 Usborne Publishing Ltd., London

Gestaltung: Brian Robertson
Gestalterische Mitarbeit: Kim Blundell
Handschriften: Christl Burggraf
Umschlaggestaltung:
Atelier Langenfass, Ismaning

Printed in Germany
ISBN 3-7607-4536-9

99 98 97 96 95   9 8 7 6 5

CIP-Titelaufnahme der Deutschen Bibliothek
Davies, Helen:
Das Bildwörterbuch / Helen Davies ;
Stefanie Steiner. -
München : Ars-Ed., 1990
    ISBN 3-7607-4536-9
NE: HST

Sprachbücher, die Spaß machen:

ISBN 3-7607-**4582-2**

Weitere Sprachen in der Reihe
»Bildwörterbuch«
Bildwörterbuch Französisch
ISBN 3-7607-**4520-2**
Bildwörterbuch Italienisch
ISBN 3-7607-**4535-0**
Bildwörterbuch Spanisch
ISBN 3-7607-**4521-0**

Weitere Sprachen in der Reihe
»Sprachführer«
Englisch für unterwegs
ISBN 3-7607-**4557-1**
Französisch für unterwegs
ISBN 3-7607-**4558-X**
Italienisch für unterwegs
ISBN 3-7607-**4559-8**
Spanisch für unterwegs
ISBN 3-7607-**4560-1**

ISBN 3-7607-**4519-9**

Informative Sachbücher, die Spaß machen:

Dieses Buch erklärt mit vielen Illustrationen und klaren Texten, wie die 222 wichtigsten Geräte, Dinge und Vorgänge des Alltags funktionieren. Viele Querschnittszeichnungen lassen in das Innere der Geräte blicken, Bildfolgen zeigen Abläufe

ISBN 3-7607-**4591-1**

ISBN 3-7607-**4632-2**

ISBN 3-7607-**4625-x**

ISBN 3-7607-**4626-8**